Para minha filha Nikki,
que tentou ser a melhor formiguinha
do formigueiro, quando, na verdade,
sempre foi uma bela borboleta.

Rachel Renée Russell é uma advogada que prefere escrever livros infantojuvenis a documentos legais (principalmente porque livros são muito mais divertidos, e pijama e pantufas não são permitidos no tribunal).
Ela criou duas filhas e sobreviveu para contar a experiência. Sua lista de hobbies inclui o cultivo de flores roxas e algumas atividades completamente inúteis (como fazer um micro-ondas com palitos de sorvete, cola e glitter). Rachel vive no estado da Virgínia, nos Estados Unidos, com um cachorro da raça yorkie que a assusta diariamente ao subir no rack do computador e jogar bichos de pelúcia nela enquanto ela escreve. E, sim, a Rachel se considera muito tonta.

Rachel Renée Russell

DIÁRIO
de uma garota nada popular

Histórias de uma vida nem um POUCO fabulosa

Tradução
Antônio Xerxenesky
Ilustrações: Lisa Vega

30ª edição
Rio de Janeiro-RJ / São Paulo-SP, 2025

VERUS
EDITORA

TÍTULO ORIGINAL: Dork Diaries: Tales from a Not-So-Fabulous Life

EDITORA: Raissa Castro

COORDENADORA EDITORIAL: Ana Paula Gomes

COPIDESQUE: Anna Carolina G. de Souza

REVISÃO: Ana Paula Gomes

DIAGRAMAÇÃO: André S. Tavares da Silva

CAPA, PROJETO GRÁFICO E ILUSTRAÇÕES: Lisa Vega

Copyright © Rachel Reneé Russell, 2009

Tradução © Verus Editora, 2010

ISBN 978-85-7686-103-4

Todos os direitos reservados, no Brasil, por Verus Editora.

Nenhuma parte desta obra pode ser reproduzida ou transmitida por qualquer forma e/ou quaisquer meios (eletrônico ou mecânico, incluindo fotocópia e gravação) ou arquivada em qualquer sistema ou banco de dados sem permissão escrita da editora.

VERUS EDITORA LTDA. Rua Argentina, 171, São Cristóvão, Rio de Janeiro/RJ, 20921-380 www.veruseditora.com.br

CIP-BRASIL. CATALOGAÇÃO NA FONTE
SINDICATO NACIONAL DOS EDITORES DE LIVROS, RJ

R925d

38ª ed.

Russell, Rachel Reneé

　Diário de uma garota nada popular : histórias de uma vida nem um pouco fabulosa / Rachel Reneé Russell ; tradução Antônio Xerxenesky. – 38ª ed. – Rio de Janeiro, RJ : Verus, 2025.

　il.

　Tradução de: Dork Diaries : Tales from a Not-So-Fabulous Life

　ISBN 978-85-7686-103-4

　1. Literatura infanto juvenil americana. I. Xerxenesky, Antônio. II. Título.

10-5540

CDD: 028.5

CDU: 087.5

Revisado conforme o novo acordo ortográfico.

Impressão e acabamento: Santa Marta

AGRADECIMENTOS

Gostaria de agradecer a todos que me ajudaram a transformar meu sonho em realidade:

Liesa Abrams, minha fantástica editora, por demonstrar tanta paixão por este projeto e por amá-lo tanto quanto eu.

Lisa Vega, minha superdiretora de arte, por seu olhar afiado e paciência inesgotável.

Daniel Lazar, da Writers House, meu agente maravilhoso que NUNCA dorme. Agradeço a você por ter percebido o potencial deste livro quando ainda era apenas um esboço de cinquenta páginas sobre uma garota estranha e sua fada madrinha. Também agradeço aos meus outros agentes da Writers House, Maja Nikolic, Cecilia de la Campa e Angharad Kowal, que estão cuidando dos direitos internacionais.

Nikki Russell e Leisl Adams, minhas assistentes de criação muito talentosas, cujo esforço me ajudou a finalizar este projeto dentro do prazo.

Doris Edwards, minha mãe, por estar presente nas horas boas e ruins e sempre me garantir que minha escrita era divertida, mesmo quando provavelmente não era.

Minhas filhas, Erin e Nikki Russell, pelo amor e apoio.

Arianna Robinson, Mikayla Robinson e Sydney James, minhas sobrinhas pré-adolescentes, por serem as mais meigas, fabulosas e brutais críticas que um autor pode desejar.

SÁBADO, 31 DE AGOSTO

Às vezes eu me pergunto se minha mãe não é completamente SEM NOÇÃO. E tem dias em que eu tenho certeza de que ela é.

Tipo hoje.

O drama começou de manhã, quando perguntei como quem não quer nada se ela me compraria um desses novos iPhones que fazem praticamente tudo. Eu considerava isso uma necessidade, só perdendo para, sei lá, oxigênio.

Que maneira melhor de descolar um lugar no grupinho das GDPs (garotas descoladas e populares) no Westchester Country Day, meu novo colégio particular, do que impressionando geral com um celular novo e arrasador?

Ano passado, parecia que eu era a ÚNICA pessoa do colégio INTEIRO que não tinha um. ☹ Então comprei um celular usado superbarato pela Internet.

Era maior do que eu queria, mas daí pensei que não tinha como errar com aquele precinho ridículo.

Deixei o telefone no meu armário e espalhei para todo mundo que agora todos podiam ligar no meu celular NOVO para contar os babados mais QUENTES! E daí passei a contar os minutos até minha vida social começar a bombar.

Fiquei bem nervosa quando duas GDPs atravessaram o corredor falando no celular.

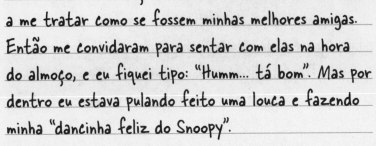

Elas vieram direto no meu armário e começaram a me tratar como se fossem minhas melhores amigas. Então me convidaram para sentar com elas na hora do almoço, e eu fiquei tipo: "Humm... tá bom". Mas por dentro eu estava pulando feito uma louca e fazendo minha "dancinha feliz do Snoopy".

Daí as coisas ficaram muito esquisitas. Elas disseram que tinham ouvido falar do meu novo celular caríssimo com design especial, e que todo mundo (ou seja, o resto das GDPs) estava louco para ver o aparelho.

Eu já ia explicar que tinha dito "babados quentes no meu celular novo", NÃO "novos babados no meu celular quente", mas nem deu tempo, porque infelizmente meu telefone começou a tocar. De um jeito absurdamente

alto. Fiz de tudo para ignorá-lo, mas as duas GDPs estavam me olhando de um jeito tipo: "Ué, você não vai atender?!"

Óbvio que eu não queria atender, porque tinha a leve impressão de que elas iam ficar meio decepcionadas quando vissem meu celular.

Então fiquei ali, torcendo para que ele parasse de tocar, mas isso não aconteceu. E logo, logo todo mundo no corredor estava olhando para mim também.

No fim, desisti, abri meu armário e atendi o telefone. Basicamente para parar com aquele toque PÉSSIMO.

Falei alguma coisa tipo: "Alô? Não... não é daqui. Foi engano".

E, quando me virei, as duas GDPs estavam correndo pelo corredor e gritando: "Desliga isso! Desliga isso!" Acho que aquilo significava que elas provavelmente NÃO queriam mais que eu sentasse com elas na hora do almoço. Que droga.

A coisa mais importante que aprendi no ano passado foi que ter um telefone TOSCO – ou NÃO TER nenhum – pode arruinar sua vida social. Apesar de um monte de garotas famosas ESQUECEREM de usar calcinha, você não encontra nenhuma delas andando por aí sem celular. Por isso eu estava enchendo a minha mãe para ela me comprar um iPhone.

Até tentei guardar dinheiro para comprar um, mas é impossível. Até porque eu sou uma artista e MUITO VICIADA em desenhar!

Tipo, se eu não faço isso todo dia, eu fico MALUCA!

Gasto TODAS as minhas economias em cadernos, lápis, canetas, cursos e coisas do tipo. Ai, tô tão FALIDA que compro casquinha de sorvete parcelada no McDonald's!

Mas o que importa é que, quando a minha mãe voltou do shopping com um presente especial de volta às aulas, eu tinha certeza do que era.

Ela veio com um blá-blá-blá sobre como estudar numa escola nova ia ser uma "época estressante de muito crescimento pessoal" para mim e de como minha melhor "válvula de escape" seria "comunicar" minhas "ideias e sentimentos".

Fiquei muito **EMPOLGADA** porque a gente pode se comunicar com um **CELULAR NOVO!**

Né?! ☺

Eu meio que ignorei a maior parte das coisas que ela estava dizendo, porque eu estava SONHANDO com todos os toques, músicas e filmes irados que eu ia baixar. Ia ser AMOR À PRIMEIRA VISTA!

Mas depois que minha mãe *finalmente* terminou seu discurso, ela abriu um enorme sorriso, me abraçou e me entregou um LIVRO.

Eu abri o livro e virei as páginas FRENETICAMENTE, achando que ela podia ter escondido o celular novo ali no meio.

Na hora fez muito sentido, porque todas as propagandas diziam que era o modelo mais fininho do mercado.

Mas aos poucos a ficha foi caindo: minha mãe NÃO tinha comprado um celular para mim, e o tal do presente era só um livro idiota. ☹

Isso é que eu chamo de DESGOSTO!

Então notei que TODAS as páginas do livro estavam EM BRANCO.

Tipo AH. NÃO. ELA. NÃO. FEZ. ISSO!

Minha mãe tinha me dado duas coisas: um DIÁRIO e a prova definitiva de que ela É realmente uma

SEM NOÇÃO!!

Ninguém mais no mundo escreve seus sentimentos mais profundos e seus maiores podres num diário! SABE POR QUÊ?

Porque, se uma ou duas pessoas descobrirem seus LANCES, isso pode arruinar sua reputação.

Esse tipo de coisa tem que ser postada num blog, para que MILHÕES de pessoas possam ler!!!

Só alguém MUITO IDIOTA seria pego ESCREVENDO em um DIÁRIO!!

Esse é O pior presente que eu já ganhei em TODA a minha vida! Eu queria gritar com todas as minhas forças:

"Mãe, eu não preciso de um livro IDIOTA com 282 páginas EM BRANCO!!"

Eu PRECISO é poder "comunicar" minhas "ideias e sentimentos" aos meus amigos usando o meu próprio celular.

Peraí! Que idiota. Sempre esqueço. Eu não tenho amigos. AINDA. Mas isso pode mudar do dia para a noite, e eu preciso estar preparada. Com um celular lindo, novinho em folha!

Enquanto isso, eu NÃO vou escrever neste diário de novo. **NUNCA! JAMAIS!!**

SEGUNDA-FEIRA, 2 DE SETEMBRO

Tá bom. Eu sei que disse que nunca mais ia escrever neste diário. E estava falando sério. Definitivamente não sou daquele tipinho de garota que se joga embaixo das cobertas com um diário e uma caixa de bombons para escrever um monte de coisas melosas sobre o garoto dos meus sonhos, meu primeiro beijo ou de como estou AFLITA com a INCRÍVEL descoberta de que sou uma PRINCESA de um pequeno reino encantado onde só falam francês e que agora vale MILHÕES.

EU DEFINITIVAMENTE NÃO SOU ASSIM!

Pedicure

Roupa de grife

Beleza

Pele perfeita

Inteligência

Cabelo maravilhoso

Hábito sedutor de enrolar a ponta dos cabelos que deixa os garotos malucos!

Manicure

Chocolates
(do namorado apaixonado)

Corpo perfeito

Diário incrível

Tiara de princesa

MINHA VIDA É UMA DROGA!!

Andei o dia inteiro pela minha nova escola parecendo um zumbi de gloss. Ninguém nem me deu oi.

ESTA SOU EU!

EU ME SINTO INVISÍVEL A MAIOR PARTE DO TEMPO!

Como é que eu vou me dar bem em um colégio todo metido a besta como o Westchester Country Day? Tem até um Starbucks do lado da cantina!

Eu queria que o meu pai NUNCA tivesse sido contratado para dedetizar esse lugar.

Podem pegar a droga da bolsa que me deram por dó e dar para alguém que queira e precise dela, porque esse alguém com certeza NÃO SOU EU!

TERÇA-FEIRA, 3 DE SETEMBRO

Já é mais de meia-noite e eu estou surtando porque ainda não fiz a lição de casa. É de literatura, e estamos lendo *Sonho de uma noite de verão*, do Shakespeare. Fiquei surpresa, porque eu não sabia que ele escrevia romance adolescente.

É sobre um elfo travesso chamado Puck. Ele tenta acabar com o namoro de um casal superfofo que está perdido numa floresta encantada.

Então, um carinha com cabeça de burro entra de penetra numa balada enorme de fadas e acaba ficando com a rainha delas. Muito bizarro!

Nossa tarefa é responder três perguntas sobre o PUCK:

1. Você considera Puck o personagem central da história? Por quê?

2. De que forma as ações e as características de Puck criam o clima da história?

3. Use a imaginação e descreva Puck detalhadamente, ou faça um desenho dele.

As duas primeiras não eram tão difíceis, e eu terminei rapidinho. Mas a terceira deu um nó na minha cabeça.

Eu não tinha a menor ideia de como era o Puck.

Mas tentei imaginá-lo com orelhas pontudinhas e TÃO GATO QUANTO:

NICK JONAS ➚

Eu também estava morrendo de curiosidade para saber se a vida dele não tinha sido ARRUINADA pelo fato de ter um nome tão horrível.

Aposto que a galera popular da escola o chamava de "Pus", "Pucca" ou alguma coisa ainda pior.

COITADO DO PUCK ☹!!

Tentei entrar naquele site Wiki-qualquer-coisa de onde todo mundo copia tudo para ver se não tinha nenhuma foto do Puck.

Mas eu não lembrava o nome do site e estava com muita preguiça de procurar no Google.

Fiquei surpresa quando alguém bateu na porta do meu quarto assim tão tarde, e achei que era a minha irmãzinha de 6 anos, a Brianna.

Há mais ou menos uma semana ela perdeu um dente da frente e o enterrou no nosso quintal para ver se ia crescer alguma coisa. Ela SEMPRE faz umas coisas malucas desse tipo.

Minha mãe diz que é porque ela ainda é muito pequena. Mas eu acho que é porque ela tem o cérebro de uma caixa de giz de cera.

Só de brincadeira, eu falei para a Brianna que a fada do dente recolhia os dentes das crianças do mundo todo e depois colava tudo com Super Bonder para fazer dentaduras para os velhinhos.

E disse que ela estava FERRADA, já que tinha cavado um buraco e enterrado o dente em algum lugar do quintal.

O mais engraçado é que a Brianna acreditou MESMO nisso. Ela acabou arrancando metade das flores do jardim tentando encontrar o dente.

De lá para cá, a Brianna está meio paranoica, achando que a fada do dente vai invadir o quarto dela no meio da noite e arrancar TODOS os dentes dela para fazer dentaduras.

Mas o tiro meio que saiu pela culatra, porque agora ela SE RECUSA a ir ao banheiro de noite, a menos que eu dê uma conferida para ter certeza de que a fada do dente não está escondida atrás da cortina ou embaixo das toalhas.

E se eu não for bem rápida, a Brianna acaba sofrendo um pequeno "acidente" em cima do carpete do meu quarto.

Infelizmente, eu descobri do pior jeito possível que, ao contrário do que dizem na TV, aqueles produtos de limpeza NÃO TIRAM qualquer cheiro.

Sorte minha que não era a Brianna batendo na porta, e sim os meus pais.

MAMÃE ↓   PAPAI ↓

Antes que eu pudesse dizer "Entra", eles já foram tipo invadindo, como sempre fazem, e isso me irrita muito, porque *teoricamente* este é o MEU quarto! E, como cidadã, eu tenho direito à PRIVACIDADE, que eles estão sempre violando.

Da próxima vez que os meus pais ou a Brianna entrarem assim, eu vou gritar:

"Ei! Por que vocês não SE MUDAM para o meu quarto?!"

18

Seja como for, meus pais disseram que tinham achado estranho eu ainda estar acordada fazendo a lição de casa e queriam saber como andavam as coisas na escola.

Foi muito bizarro, porque, bem na hora que eu ia responder, tive um ataque e comecei a chorar.

Meus pais ficaram chocados e olharam para mim e depois um para o outro. Finalmente, minha mãe me abraçou e disse: "Tadinho do meu bebê!", o que só PIOROU tudo.

Não me enturmar na escola já era bem ruim. Mas agora eu tinha de passar por uma humilhação a mais: ter 14 anos e *ainda* ser chamada de "meu bebê"! De repente, o rosto do meu pai se iluminou.

"Ei, eu tenho uma ideia! Nós sabemos que você está muito estressada ultimamente porque trocou de escola. Aposto que, se espalhássemos post-its com frases animadoras pela casa, isso ia ajudá-la a se adaptar. O que você acha?"

Eu disse: "Certo, pai, o que eu acho é o SEGUINTE: que ideia IDIOTA! Como se uns post-its com frases cafonas fossem resolver o problema de eu ser uma TREMENDA

FRACASSADA na escola. Quer saber o que mais eu acho? Aquele artigo que dizia que venenos contra insetos matam as células do cérebro deve ser verdade!"

Mas isso tudo eu disse dentro da minha cabeça, então só eu mesma escutei.

Meus pais ficaram me encarando, e eu estava começando a ficar arrepiada. Finalmente, depois de séculos, minha mãe sorriu e disse: "Querida, lembre-se de que nós amamos você! E, quando precisar de nós, estaremos ali no fim do corredor".

Eles voltaram para o quarto, e eu ouvi que cochicharam por um tempo. Provavelmente estavam discutindo se eu deveria ser mandada para um hospício naquele exato momento, ou se deveriam esperar até a manhã do dia seguinte.

Já que era muito tarde, resolvi terminar a lição de casa do Puck no intervalo antes da aula.

Será que você ainda tem que entregar a lição de casa se estiver presa num MANICÔMIO?

QUARTA-FEIRA, 4 DE SETEMBRO

A nova edição da revista *Que Demais!* diz que o segredo da felicidade são os quatro As:

Amigos, Animação, Andar na Moda e Azaração

Mas infelizmente o mais perto que eu já cheguei de "amigos, animação, andar na moda e azaração" foi ter o armário bem ao lado da MacKenzie Hollister.

Ela é A garota mais popular da oitava série.

Como eu sou sortuda! ☹

Eu tinha acabado de cruzar o corredor entupido de gente para chegar ao meu armário e quase tinha sido pisoteada.

Então, como num passe de mágica, a multidão se dividiu em duas, que nem o lance no mar Vermelho.

Foi a primeira vez que vi a MacKenzie desfilando pelo corredor, como se estivesse numa passarela na Semana de Moda de Paris ou coisa do tipo.

Ela era loira de olhos azuis e estava vestida como se acabasse de sair de uma sessão de fotos para a capa da *Vogue*.

E imediatamente todo mundo (menos eu) ficou hipnotizado pelos poderes de encanto dela e perdeu completamente a cabeça.

"E aí, MacKenzie?"

"Você está uma gata, MacKenzie!"

"Você vai à minha festa no fim de semana, MacKenzie?"

"Amei seus sapatos, MacKenzie!"

"Casa comigo, MacKenzie?"

"Você não sabe quem está a fim de você, MacKenzie!"

"Esta é outra bolsa de grife, MacKenzie?"

"Seu cabelo está lindo hoje, MacKenzie!"

"Se você se sentar comigo no almoço, eu arranco meu olho com um lápis, coloco dentro de um sanduíche de carne com mostarda e como, MacKenzie!"

O que também prova a minha teoria de que SEMPRE há pelo menos UM ANORMAL completamente pirado em TODAS as escolas do país!

Era "MacKenzie! MacKenzie! MacKenzie!" Quando ela caminhou até o armário bem ao lado do meu, eu soube na hora que teria um ano MUITO ruim naquele colégio.

Estando tão perto do esplendor daquela incrível, ainda que repugnante perfeição, eu me senti ainda mais uma grande FRACASSADA. E ela INVADIR boa parte do meu espaço não ajudou muito ☹!!

Não era como se eu estivesse com inveja dela nem nada do tipo. Quer dizer, isso seria totalmente imaturo.

Entre uma aula e outra, a MacKenzie e as amigas dela ficam sempre bem em frente ao MEU armário só de FFF.

Isso quer dizer:

FICAM RINDO, FOFOCANDO E FAZENDO A MAQUIAGEM

E sempre que eu consigo criar coragem para dizer: "Dá licença, eu preciso pegar umas coisas no meu armário", elas simplesmente me ignoram, ou reviram os olhos e dizem coisas do tipo: "Tá nervosinha?" ou "Qual é o problema DELA?"

E eu respondo algo do tipo: "Ei, colega, eu não tenho problema COISA NENHUMA!"

Mas isso eu falo dentro da minha cabeça, então só eu mesma escuto.

Mas no fundo estou um pouco preocupada e envergonhada, porque uma parte minúscula de mim — uma parte bem besta e sombria — AMARIA ser a melhor amiga da MacKenzie!
E eu acho essa minha parte TÃO nojenta... que quase me faz... VOMITAR!

Mas agora um comentário mais animado: estou adorando usar maquiagem também.

O meu gloss favorito dos últimos tempos é o Gatynha Beijokera Loka de Morango.

É uma delícia, tem gosto de torta de morango.

Infelizmente, nenhum gatinho superfofo (tipo o Brandon Roberts, o cara que senta na minha frente na aula de biologia) ficou a fim de mim e se apaixonou por estes fantásticos lábios brilhantes, como acontece nas propagandas do GATYNHA BEIJOKERA que passam na TV.

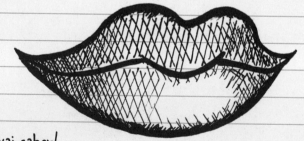

Mas vai saber!
Pode ser que role!

Enquanto isso, resolvi tentar curtir o fato de que estou solteira.

Ah, quase esqueci! Meu pai vai me buscar depois da aula para me levar ao dentista.

POR FAVOR, POR FAVOR, POR FAVOR, não deixe que ele vá me pegar com a Kombi do trabalho, que tem uma barata de plástico gigante em cima do teto.

Sério, eu MORRERIA se alguém descobrisse que eu só estudo nesse colégio porque ele foi dedetizado pelo meu pai!

☹!!

QUINTA-FEIRA, 5 DE SETEMBRO

MacKenzie e suas amigas metidas estão quase realmente me tirando do sério! Elas estão sempre fazendo comentários PÉSSIMOS sobre qualquer garota que passe a menos de dois metros. Quem elas pensam que são, sabe?

O ESQUADRÃO DA MODA?!

"EI, FLOR! VOCÊ ESTÁ PRESA POR COMETER UM CRIME HEDIONDO CONTRA A MODA!"

Hoje, em menos de um minuto, enquanto passava gloss a MacKenzie fez um monte de críticas que acabariam com qualquer um:

"Você não precisa de PERMISSÃO para ser tão FEIA?"

"Essa roupa seria perfeita para fazer caridade. Se ela soubesse que fica com CARA de quem tem 3 anos de IDADE quando veste isso, ia se desfazer de tudo na hora."

"NOSSA! Eu comprei exatamente a mesma blusa que ela tá usando! Num pet shop, para o meu cachorro."

"De onde vem esse CHEIRO HORRÍVEL?! Ela deveria passar umas gotinhas de perfume em vez de mergulhar nele!"

"Ela tem TANTA espinha na cara que usa uma marca de maquiagem especial. Chama Tô Nem Aí."

"Que cabelo é esse? Parece um ninho de rato morto!"

"Ela se acha TÃO gata. Na boa, ela é a prova de que um saco de estrume pode criar pernas e braços e sair andando por aí."

Chamar a MacKenzie de "malvada" seria pegar leve. Ela é PERVERSA! É um PIT BULL com sombra nos olhos e chinelo da Chanel!

SEXTA-FEIRA, 6 DE SETEMBRO

Eu acho que finalmente entendi por que não me dou bem nesse colégio. Preciso de roupas novas, de um daqueles estilistas famosos que têm loja no shopping.

Tipo aquelas lojas onde as vendedoras se vestem como a Hannah Montana, têm piercing no umbigo, luzes nos cabelos e sorriso falso.

Mas o que me deixa LOUCA DA VIDA é essa mania nojenta que elas têm de abrir a porta quando você está experimentando uma roupa e enfiar a cabeça para dentro do provador quando você está PRATICAMENTE PELADA. É o suficiente para você ter vontade de arrancar os cabelos delas.

E quando você se olha no espelho, nota na hora que ficou HORRÍVEL em você. Mas as vendedoras abrem um sorriso enorme, se fazem de amigas e MENTEM NA CARA DURA, dizendo que a roupa (1) ficou fantástica, (2) realça a cor natural da sua pele e (3) combina com a cor dos seus olhos.

Elas vão dizer isso ATÉ MESMO se você estiver provando um daqueles enormes SACOS DE LIXO!

Eu também ODEIO roupas "ESNOBES".

É quando a mesma roupa fica COMPLETAMENTE diferente em duas garotas bem parecidas. Quanto mais popular você é na escola, MELHOR ela vai ficar no seu corpo, e, quanto mais excluída você for, PIOR vai ficar no seu corpo. Não sei como uma roupa fica sabendo de todos esses detalhes sobre a sua vida, mas obviamente ela SABE!

POR QUE EU ODEIO ROUPAS ESNOBES!

O fenômeno da ROUPA ESNOBE é uma coisa meio confusa. Eu espero que o governo destine verbas para que os cientistas o estudem, e também para descobrir como as meias fazem para sumir da lavadora. Mas, até lá, ATENÇÃO, CONSUMIDORAS ☹!

De qualquer forma, quando a minha mãe comprar roupas de marca para mim, eu vou dizer poucas e boas para a MacKenzie e para sua panelinha.

Mas, antes de falar qualquer coisa, eu vou botar as mãos na cintura e dar aquela mexida no pescoço que nem a Tyra Banks faz, só para mostrar para elas como eu tenho atitude.

A Tyra diz que toda garota deve encontrar sua beleza interior e ignorar suas INIMIGAS. Ela é TÃO doce, e uma modelo maravilhosa!

Embora, tenho de admitir, ela seja meio ASSUSTADORA no *America's Next Top Model*.

Principalmente quando fica gritando com as coitadas das participantes, dizendo coisas do tipo: "Suas GORDAS, NOJENTAS imprestáveis! Vocês NUNCA conseguirão entrar no mundo da moda como eu fiz! Vocês NÃO têm ideia de quanto eu SOFRI e DEI O SANGUE! E tirem esse sorriso da cara antes que eu o ARRANQUE daí, suas #@$%¢¡!"

Daí ela começa a chorar loucamente e a comer um monte de Tic Tac.

Eu simplesmente AMO essa mulher!

Decidi que vou falar bem na cara da MacKenzie (talvez no último dia de aula) que, só porque ela e seus clones se vestem como

MODELETES,

elas NÃO têm o direito de fazer comentários destrutivos sobre as outras pessoas.

"Pessoas" quer dizer garotas que usam roupas compradas em lojas de departamento.

Garotas como... bem, EU!

Ok. NÃO é um grande segredo que as roupas dessas lojas NÃO SÃO tão legais quanto as de marcas famosas.

E sim, é bem desagradável (e desanimador) ter de passar pela seção FEMININA, de TAMANHOS

ESPECIAIS e de GESTANTES para chegar à TEEN...

É óbvio que a maioria das meninas prefere comprar nas lojas chiques do shopping!

ENCONTRANDO A SEÇÃO TEEN

A minha mãe diz que não interessa de onde vêm suas roupas, desde que estejam limpas. Certo?

ERRADO!!

Queria ganhar um dólar cada vez que ouço a MacKenzie soltando gritinhos do tipo: "NOSSA! ONDE essas garotas RIDÍCULAS compram roupas tão HORRÍVEIS?! Eu prefiro vir para a escola com o traseiro de fora a comprar minhas roupas num lugar onde vendem CORTADORES DE GRAMA!"

Para ser sincera, eu não sabia que as lojas onde eu compro as minhas roupas vendem isso. E, mesmo se venderem, grande coisa.

Também não é como se as roupas cheirassem a cortador de grama. Pelo menos eu nunca notei.

Da próxima vez que eu for fazer compras, vou cheirar as roupas antes de levar, só para ter certeza.

Também vou de peruca, chapéu, óculos escuros e bigode postiço, só para garantir que não vou ser reconhecida.

ENFIM, TANTO FAZ!!

SÁBADO, 7 DE SETEMBRO

Minha mãe e meu pai estão me deixando LOUCA! Nas últimas doze horas, eles colaram ao redor da casa 139 post-its das cores do arco-íris com mensagens positivas bem idiotas, do tipo:

"Seja SUA melhor amiga! Convide VOCÊ MESMA para ir à sua casa!"

Pena que eu não consegui ler o que eles colaram na torradeira, porque pegou fogo quando eu tentei fazer torradas com morango no café da manhã.

Tive de virar um copo de suco de laranja no papel para apagar o fogo.

E depois disso, a torradeira começou a derreter, soltando umas faíscas azuis e fazendo um barulho muito alto, como se estivesse furiosa, tipo:

GGGGGGGGGGRRRRRRRRR!!

Eu acho que provavelmente vamos precisar de uma nova.

Mas o que foi ASSUSTADOR mesmo é que a casa podia ter pegado fogo. Tudo porque meus pais colaram um papel no buraco de enfiar as torradas.

Sei que as intenções eram boas, mas às vezes eles são tão

CONSTRANGEDORES!

DOMINGO, 8 DE SETEMBRO

Já estou ficando apavorada, porque o fim de semana está acabando e amanhã tenho de ir para a escola de novo. Uma semana inteira já se passou e eu ainda não fiz nenhum amigo. Estou me sentindo meio... SUFOCADA... porque estou muito sozinha. Dá um nó no estômago, como se eu tivesse engolido um... SAPO enorme, gordo e venenoso!

EU SENDO SUFOCADA PELO SAPO DA SOLIDÃO, ENORME, GORDO E VENENOSO

Estou pensando seriamente em pedir aos meus pais para me deixarem morar com a minha avó, para que eu possa estudar na minha antiga escola.

Sei que aquela escola não era perfeita. Mas eu daria qualquer coisa para rever meus colegas da aula de artes. Eu sinto muito a falta deles ☹!

De qualquer forma, minha avó vive num daqueles prédios para pessoas idosas que são "jovens de espírito e querem ter uma vida plena e ativa". Então ela é, tipo, superantenada nas últimas tendências e tal.

Ela também é meio estranha (tá bom, MUITO ESTRANHA) e completamente viciada no *Show do Milhão*

No ano passado, minha avó comprou um computador pela Internet para poder treinar para participar do *Show do Milhão*

Agora ela passa a maior parte do tempo no computador, decorando nomes de livros e a capital de diversos países.

Ela planeja usar essa pesquisa e as estratégias que inventou para escrever um manual chamado *Show do Milhão para idiotas.*

Minha avó acha que o livro dela pode vender mais que Harry Potter.

← MINHA AVÓ

Eu nunca achei que fosse preciso saber lá muita coisa para participar de um programa de TV, mas ela disse que você tem que treinar como se fosse jogar a Copa do Mundo.

Ela tomou umas goladas de energético, olhou para mim bem séria e disse: "Querida, quando a vida lhe apresenta um desafio, você pode ser uma FRANGUINHA ou uma verdadeira CAMPEÃ. A escolha é SUA!"

Então começou a cantar "Girls Just Want to Have Fun" muito alto.

QUE ÓTIMO! Finalmente a minha avó está ficando GAGÁ! Será que ela não entende que você está simplesmente preso a algumas coisas na vida e não tem como fazer nada?! Fala sério!

Mas tenho que admitir que ela sacou direitinho como funciona o *Show do Milhão*. Da última vez que a vi jogando junto com a TV, ela acertou tudinho! Foi incrível, porque ela ganharia uns quinhentos mil dólares em dinheiro, três carros, um barco e uma viagem com acompanhante, além de fraldas geriátricas para usar pelo resto da vida.

Eu dei um abraço nela e disse: "Vovó, você manja tudo do *Show do Milhão*, estou orgulhosa. Mas você deveria sair mais de casa".

Minha avó sorriu e disse que a vida dela estava bem animada, agora que ela fazia aulas de hip-hop num clube da terceira idade. E o professor dela, Mano Krump, é "da hora"!

Daí perguntou se eu queria vê-la "botando pra quebrar".

Na verdade, ela está muito bem para alguém com 76 anos! Minha avó é meio MALUCA, mas é o MÁXIMO!

SEGUNDA-FEIRA, 9 DE SETEMBRO

Hoje de manhã os corredores estavam cheios de cartazes coloridos das Ações Aleatórias de Arte de Vanguarda, nossa exposição de arte anual.

Eu estou SUPERanimada, porque o prêmio para o primeiro lugar de cada turma é de quinhentos dólares em dinheiro! LINDO!

Seria suficiente para comprar um celular, uma roupa no shopping E material de arte.

Mas o mais importante é que, se eu vencesse, deixaria de ser uma "IDIOTA DAS ARTES excluída" para me tornar uma "DIVA DAS ARTES sedutora", e de uma hora para outra!

Quem poderia imaginar que meus dotes artísticos me levariam direto para a panelinha das GDPs?

Então fui correndo até a secretaria para pegar a ficha de inscrição e fiquei surpresa, porque já tinha fila.

E adivinha quem mais estava lá?

MacKenzie ☹!!!!

Como sempre ela estava numa tagarelice sem fim: "Tipo, como eu serei uma modelo–estilista–pop star, já tenho um portfólio com sete looks INCRÍVEIS que desenhei para a minha futura coleção, que vai se chamar SUPER–10– –COLADA, e serão as mesmas peças que planejo usar na minha turnê com a Miley Cirus, que obviamente vai cair de joelhos pelas roupas desenhadas por MIM e vai gastar um milhão de dólares com elas. Daí, eu vou me matricular nas melhores universidades dos Estados Unidos, tipo Harvard, Yale, ou o Instituto de Moda e Cosméticos de Westchester, que, aliás, é da minha tia Clarissa!"

Tá bom. Eu admito que SURTEI por ter de competir com a MacKenzie.

Ela ficou me encarando com aqueles olhos azuis, e eu senti calafrios e um embrulho no estômago.

Então, de repente, tive uma revelação, e eu SUPER entendi o que a minha avó quis dizer quando falou:

"Você pode ser uma FRANGUINHA ou uma verdadeira CAMPEÃ. A escolha é sua".

Então, reuni toda minha força de vontade e determinação, respirei fundo e criei coragem para decidir ali mesmo o que eu era:

UMA TREMENDA FRANGUINHA GORDA!

Quando a mulher da secretaria perguntou se eu estava lá para pegar a ficha de inscrição para a exposição de arte de vanguarda, eu simplesmente paralisei e comecei a cacarejar feito uma galinha:

Có, có, có, có-ó-có-ó!

Daí a MacKenzie deu uma gargalhada, como se a MINHA participação no concurso fosse a coisa mais ridícula que ela já tinha ouvido.

Foi quando eu vi o formulário amarelo para quem queria ser assistente de organização da biblioteca, também conhecido como AOB. Todo dia na hora do intervalo, algumas pessoas iam até a biblioteca para colocar os livros de volta nas estantes. A vida de um AOB é tão interessante quanto ficar esperando uma demão de tinta secar.

Então, em vez de tentar realizar o meu sonho de ganhar um grande concurso de artes, eu me inscrevi como uma IDIOTA para organizar livros IMUNDOS e CHATOS na BIBLIOTECA!

MEU FUTURO INFELIZ COMO ASSISTENTE DE ORGANIZAÇÃO DA BIBLIOTECA

"SE EU VIR OUTRO LIVRO, VOU VOMITAR!"

E é TUDO culpa da MacKenzie!! ☹

Quando eu apareci na biblioteca na hora do intervalo, a bibliotecária, sra. Peach, deu uma volta comigo. Ela disse que eu trabalharia com outras duas garotas que haviam se inscrito na semana anterior.

Mas o que eu queria mesmo saber é QUEM, em pleno juízo, se inscreveria para organizar livros como ATIVIDADE EXTRACURRICULAR?!

Pelo menos eu tinha uma boa desculpa.

Fiz isso num momento em que estava temporariamente DOIDA por causa do olhar congelante da MacKenzie. Isso paralisou as células do meu cérebro, diminuiu meus batimentos cardíacos e imobilizou completamente meu corpo, e por causa disso não pude me inscrever para o concurso de artes.

TERÇA-FEIRA, 10 DE SETEMBRO

Tive o pior acidente do mundo na aula de francês hoje. Quando eu estava pegando o livro na minha mochila, meu perfume, chamado Garota Ousada, caiu no chão.

Para meu azar, a tampinha foi parar longe, e o frasco virou todinho.

Meu professor, o sr. Sei Lá o Quê (não sei pronunciar o nome dele, parece um espirro), começou a gritar um monte de coisas em francês que pareciam xingamentos.

Então ele tirou os alunos da sala, porque todo mundo estava com falta de ar, tossindo e com os olhos ardendo.

E, enquanto a gente esperava o cheiro passar no corredor, ele veio todo arrogante e me perguntou, na MINHA língua (que eu ENTENDO), se eu estava tentando ASSASSINÁ-LO.

Ok! Em primeiro lugar, eu nem gosto tanto assim da aula de francês. E, em segundo lugar, foi SÓ um acidente!

Quer dizer, NÃO é que o perfume fosse matá-lo DE VERDADE. Pelo menos eu acho que não.

Mas, por outro lado, e SE matasse MESMO?! E se meu professor de francês desmaiasse enquanto comia um lanchinho na sala dos professores e morresse por asfixia de Garota Ousada??!!

E se, por três dias, ninguém notasse o cheiro nojento saindo do cadáver dele, já que o almoço que servem no colégio já cheira a carne podre?!

A polícia ia começar uma investigação, e eu seria a principal suspeita.

Então o CSI faria vários testes nos pelos do nariz do meu professor e encontraria vestígios de Garota Ousada.

Eles descobririam que eu era culpada por expor o professor a uma dose letal do perfume.

E se a equipe do CSI tivesse SECRETAMENTE plantado TODAS as provas contra... MOI??

(Aliás, MOI é "MIM" em francês!)

Eu acabaria sendo mandada para a CADEIRA ELÉTRICA logo no primeiro ano do ensino médio, o que seria UMA DROGA!

E depois eu ficaria COMPLETAMENTE passada, porque perderia a autoescola e a formatura!

Você precisa acreditar em mim, eu sou inocente!

Não tenho nada a esconder. Podem revistar o meu quarto!

MEU DEUS! UM CADÁVER! Como ISSO veio parar aqui?!

Agora que fiquei pensando, o sr. Sei Lá o Quê deve AMAR a MacKenzie, porque ela é muito boa em francês e consegue pronunciar o sobrenome com som de espirro dele.

Aposto que, se ela tivesse deixado o Garota Ousada DELA cair no chão durante a aula e a tampinha voasse longe, ele NÃO teria gritado nem a acusado de tentar matar ninguém.

Mas isso porque a MacKenzie é a

MISS PERFEIÇÃO!!

Aposto que ela vai até GANHAR o concurso de artes!

E depois disso, só de sacanagem, ela vai pegar 189 livros na biblioteca e devolver tudo no dia seguinte.

É claro, EU VOU SER a que vai estar PRESA lá tendo que colocar cada livro de volta no lugar, já que sou uma assistente de organização da biblioteca IMBECIL.

Minha vida patética é TÃO INJUSTA que me dá vontade de

GRITAR! ☹!!

QUARTA-FEIRA, 11 DE SETEMBRO

Hoje, na cantina do colégio, todo mundo estava superempolgado porque a MacKenzie estava entregando os convites para sua festa de aniversário. Pelo jeito como a Lisa Wang e a Sarah Grossman se abraçavam e choravam, eu podia jurar que elas iam participar daquele programa da MTV, *My Super Sweet 16*. Isso era mais que NOJENTO!

Elas pareciam as gêmeas Olsen. Nunca entendi por que as Olsen estão sempre abraçadas. Elas foram o primeiro caso de gêmeas não siamesas que pareciam grudadas pelo quadril.

Pelo resto do dia, todo mundo que a MacKenzie convidava ficava babando nela, como se fosse um cachorro raivoso. Menos o **Brandon Roberts**.

Quando entregou o convite para ele, ela até que tentou jogar um charme enrolando a ponta do cabelo com o dedo e abrindo um sorriso enorme. Até deixou cair "acidentalmente" a bolsa para que ele juntasse as coisas para ela, como a Tyra ensinou a fazer quando você quer que um cara repare em você.

Mas o Brandon só olhou para o convite, colocou na mochila e continuou andando.

E, caramba, como ela ficou brava quando ele a ignorou daquele jeito.

Então, antes que ela pudesse pegar sua Victor Hugo de trezentos dólares do chão, a equipe de atletismo do colégio passou por ali e pisoteou a bolsa todinha. Eu pessoalmente até curti mais as pegadas de tênis sujo do que aquela estampa sem graça.

De qualquer forma, o Brandon é O MÁÁÁÁXIIIMOOO!!!

Pelo que vi, ele parece ser um daqueles rebeldes bem na dele.

Ele é repórter e fotógrafo do jornal da escola e já ganhou alguns prêmios de fotojornalismo.

Uma vez ele até sentou do meu lado na hora do almoço, mas acho que nem notou que eu ficava olhando para ele.

Talvez porque os cachinhos de seu cabelo bagunçado estão SEMPRE caindo sobre os olhos.

E hoje na aula de biologia, quando ele perguntou se podia tirar uma foto MINHA dissecando um sapo para botar no jornal do colégio, eu quase MORRI!!

Eu tremia tanto que mal conseguia segurar o bisturi.

Agora, todos os detalhes daquele rosto perfeito estão gravados para sempre na minha mente.

SERÁ QUE EU ESTOU ME APAIXONANDO PELA PRIMEIRA VEZ?!

A BIOLOGIA DO MEU CORAÇÃO PARTIDO
Por Nikki Maxwell

Eu vejo você nos meus sonhos
com sua camisa branca favorita,
desabotoada,
sentado à minha frente
na cantina da escola.
Nunca vi ninguém
comer batata frita tão lindamente.

Eu vejo você na aula de biologia,
tirando fotos para o jornal do colégio,
quando você sussurra para
o fundo da minha alma:
"Segure o sapo neste ângulo".

Pois só você
é capaz de fazer uma foto
de um sapo dissecado
parecer tão cheia de vida.
Tão viva. Ainda que morta.

Dói se sentir assim,
saber que você nunca vai saber de mim.
Querer passar os dedos
em seus cabelos negros, cacheados,
pois me dou conta de que
o cheiro podre do formol
e o olhar tedioso de um sapo morto
sempre lembrarão NÓS DOIS!

QUINTA-FEIRA, 12 DE SETEMBRO

Durante a aula de educação física, até as garotas Tenho-Medo-da-Bola estavam fofocando sobre a festa da MacKenzie. Como se alguma delas tivesse a menor chance de ser convidada.

Elas são as afetadas que andam em grupo e soltam gritinhos histéricos sempre que uma bola passa perto.

Pode ser de basquete, futebol, vôlei, tênis, pingue-pongue, futebol americano, beisebol, naftalina ou até bola de sorvete. Elas NÃO têm muito discernimento.

GAROTAS TENHO-MEDO-DA-BOLA JOGANDO VÔLEI

É isso aí! Conte sempre com as garotas Tenho-Medo-da--Bola para estragar tudo e perder o jogo por você.

É um saco ter garotas como a Chloe e a Zoey no seu time. Especialmente se você ODEIA tomar banho depois da educação física (só de pensar em tomar uma ducha no colégio, já sinto náuseas).

Vai ser tudo culpa DELAS se eu pegar uma doença incurável por causa do mofo NOJENTO que cresce em volta desses chuveiros asquerosos.

POR QUE EU *ODEIO* TOMAR BANHO NO COLÉGIO!

Foi realmente uma surpresa quando a Chloe e a Zoey vieram falar comigo depois da aula. Obviamente eu fingi que NÃO estava louca da vida pelo banho que tive de tomar porque elas simplesmente fugiram da bola.

Parece que a bibliotecária, a sra. Peach, havia dito que eu tinha me inscrito para trabalhar com elas na biblioteca, e elas estavam realmente EMPOLGADAS com isso.

Tipo, O QUE tem de tão empolgante em organizar uma biblioteca?? Mas eu fingi que estava tão emocionada quanto elas.

Falei algo do tipo: "MEU DEUS! MEU DEUS! Nem acredito que vamos organizar livros juntas. Como isso é LEGAL, né?"

Acabamos almoçando juntas na mesa 9, e foi muito bom NÃO ter que comer sozinha pelo menos uma vez.

O nome completo da Chloe é Chloe Christina Garcia, e a família dela é dona de uma empresa de informática. É incrível, porque ela já leu TODOS os livros mais legais.

Ela disse que sente na pele as alegrias e tristezas de cada personagem e aprende várias coisas sobre a vida, sobre meninos, amor e como beijar, o que ela pretende usar no próximo ano, quando começar o ensino médio.

Ela disse que tem 983 livros e que já leu a maioria duas vezes.

Fiquei tipo: "UAU!"

O nome completo da Zoey é Zoeysha Ebony Franklin, a mãe dela é advogada e o pai é diretor de uma gravadora. Ela conhece praticamente TODAS as estrelas da música pop.

Zoey disse que gosta de ler autoajuda e, no momento, está procurando maneiras de "aprimorar" o relacionamento que mantém com as três "figuras maternas" de sua vida: sua mãe, uma avó que ajudou na sua criação e a madrasta.

Entendi direitinho o drama, porque sei por experiência própria que uma ÚNICA "figura materna" já pode ser traumática e causar danos psicológicos.

Já imaginou TRÊS? MEU DEUS!

Então a Zoey disse: "Como você aguenta ter o armário ao lado do da MacKenzie? Ela é tão BURRA que é capaz de passar gloss na testa pra ver se tem alguma ideia brilhante uma vez na vida! E às vezes ser tão superficial pode gerar problemas multifacetados ligados à autoestima".

Eu NÃO podia acreditar que a Zoey estava falando uma coisa dessas. Eu pensava que todo mundo aqui idolatrava a MacKenzie.

Nós rimos tanto que saíram pedaços de cenoura pelo meu nariz!

As três ficaram tipo: "AAAAIIII! QUE NOJENTO!"

Então a Chloe disse rindo: "Ei! Tatu com gosto de cenoura! Vamos dar para a MacKenzie, ela pode botar na salada de tofu. Seria uma cobertura bem light! A panelinha dela está sempre ferrando com todo mundo mesmo!"

Rimos tanto dessa piada que as pessoas sentadas nas outras mesas começaram a olhar para nós.

Cheguei até a ver a MacKenzie espiando na nossa direção. Mas ela desviou o olhar rapidinho, para não cometermos o terrível engano de achar que ela notava nossa existência. Aposto que ela queria saber o que estava rolando.

Agora estou até pensando em perdoar a Chloe e a Zoey por todo aquele FIASCO do chuveiro na aula de educação física. Hoje foi um dia muito bom!

!!

SEXTA-FEIRA, 13 DE SETEMBRO

Eu já estava CANSADA e IRRITADA de tanto ouvir falar da MacKenzie e da PORCARIA de festinha dela. Mas, como ela está na minha aula de geometria e eu sento logo atrás dela, eu sabia que teria de dar um jeito de aguentar. Eu me concentrava em fazer o possível para ignorá-la quando ela se virou, sorriu e fez a coisa MAIS ESTRANHA DO MUNDO!

Ela ME deu um convite rosa brilhante amarrado com um laço branco de cetim.

Eu fui pega de surpresa e quase caí da cadeira.

Minha cabeça estava tipo:

MEU DEUS! MEU DEUS! MEU DEUS!

Era a coisa mais linda que eu já tinha visto na vida. Só perde talvez para aquele iPhone novo que eu queria.

Quem poderia imaginar que eu seria convidada para A festa do ano?

Então eu me toquei que podia ser algum tipo de PIADA maldosa.

Olhei ao redor para ver se não havia nenhuma câmera escondida, meio que esperando que o Ashton Kutcher (não dá pra acreditar que ele é casado com uma mulher mais velha que a minha mãe) saísse gritando...

É UMA PEGADINHA!!

Daí eu me dei conta de que várias das outras garotas da sala estavam olhando para mim com inveja, sem poder acreditar naquilo.

Foi realmente estranho, porque na hora eu me liguei que o meu moletom preferido estava cheio de bolinhas.

Eu meio que tentei disfarçar e arrancar algumas.

Afinal, nenhuma amiga da MacKenzie seria pega usando um moletom que não-é-do-shopping e cheio de bolinhas.

Então, fiz uma anotação mental...

MacKenzie ainda sorria como se eu fosse sua nova melhor amiga de infância ou algo do tipo.

"Ei, fofa! Eu estava pensando se você..."

Mas eu estava TÃO EMPOLGADA que completei a frase antes de ela terminar.

"Eu ia AMAR, MacKenzie! Obrigada pelo convite... fofa!"

OK. Então eu chamei a Mackenzie de "fofa", mesmo achando que essa palavra era muito falsa.

E sim, eu estava NAS NUVENS, tão FELIZ quanto a Vanessa Hudgens no dia em que soube que NÃO seria mandada embora do *High School Musical 3!*

Mas, antes de qualquer coisa, eu estava CHOCADA. Não conseguia acreditar que iria mesmo à festa da MacKenzie! Logo eu ia ter amigas superdescoladas e uma vida social. E talvez até fizesse umas luzes, colocasse um piercing no umbigo e arranjasse um namorado.

Já estava começando a achar que a revista *Que Demais!* tinha razão. Talvez a chave para a felicidade fossem mesmo as amizades, a animação, andar na moda e a azaração!!

Eu flutuando em meio a raios de sol, arco-íris, estrelas brilhantes e nuvens rosa de algodão-doce, apertando apaixonadamente contra o peito o meu convite para a festa da MacKenzie!!

Minhas mãos tremiam enquanto eu tirava o laço que prendia o convite.

De repente, a MacKenzie fez uma careta e começou a me olhar como se eu fosse um chiclete grudado na sola do seu sapato.

"Sua IDIOTA!", ela grunhiu. "O QUE você está fazendo?!"

"Ãàã, abrindo o m—meu convite?", gaguejei.

Eu já estava começando a ter um mau pressentimento quanto a essa história toda de festa.

"Como se eu fosse convidar você?!", ela desdenhou, jogando as tranças louras para trás e me olhando torto. "Você não é a aluna nova que passa o dia inteiro perto do meu armário, como se fosse uma psicopata obcecada?"

"É, sim... quer dizer, NÃO! Na verdade, o meu armário fica ao lado do seu", murmurei.

"Tem certeza?", ela perguntou, me olhando de cima a baixo como se eu estivesse mentindo. Não dava para acreditar que ela estava fingindo que não sabia quem eu era. Eu tinha um armário ao lado do dela fazia, tipo, MIL ANOS!

"Certeza ABSOLUTA!", respondi.

Daí a MacKenzie pegou seu gloss da Gatynha Beijokera e aplicou umas três camadas nos lábios. Depois de se olhar num espelhinho por dois minutos (ela é VIDRADA em si mesma!), ela o fechou e olhou para mim de novo.

"Antes de você ser GROSSA e me interromper, eu estava tentando pedir para você PASSAR esse convite para a JESSICA! Será que é tão difícil assim? Por que você tinha que abrir como se fosse um GORILA selvagem?", ela disse.

A turma inteira se virou e olhou para mim.

NÃO dava para acreditar no que ela estava dizendo. Como é que ela tinha coragem de me chamar de

SELVAGEM??!!

"Ah tá, desculpa!", eu disse, tentando parecer indiferente, enquanto me segurava para não chorar. "Hum, quem é Jessica?"

De repente eu senti um cutucão no ombro.

Me virei para olhar para a garota que estava sentada atrás de mim.

Ela tinha longos cabelos louros e estava usando gloss com glitter nos lábios, minissaia rosa, blusa rosa e uma faixa no cabelo cheia de diamantes falsos cor-de-rosa.

Se eu tivesse visto essa garota numa loja de brinquedos, juro que a teria confundido com a nova boneca da moda:

↑ A "SUPERFURIOSA" JESSICA

"Eu sou a Jessica", ela disse, revirando os olhos. "Não acredito que você abriu o MEU convite!"

Eu estava desesperadamente tentando refazer o laço com a fita de cetim quando ela arrancou o convite da minha mão com tanta força que quase cortei o dedo no papel.

Me senti, tipo, uma COMPLETA RETARDADA! E, para piorar tudo, notei que vários colegas estavam dando risadinhas.

Esse com certeza foi O momento mais CONSTRANGEDOR de toda a minha vidinha PATÉTICA!!

E eu tinha certeza de que, em alguns minutos, todo mundo na escola INTEIRA estaria fofocando sobre isso por torpedo.

Fiquei aliviada quando a nossa professora de matemática, a sra. Sprague, finalmente começou a aula.

Ela passou uma hora inteirinha na lousa revendo a forma de calcular o volume de um cilindro, de uma esfera e de um cone para a prova.

COMO CALCULAR O VOLUME

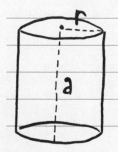

O VOLUME DE UM CILINDRO É IGUAL A: (ÁREA DA BASE) × ALTURA = $\pi r^2 a$

O VOLUME DE UMA ESFERA = $4/3 \pi r^3$

O VOLUME DE UM CONE É 1/3 DA (ÁREA DA BASE) × ALTURA = $1/3 \pi r^2 a$

Mas eu estava muito nervosa para me concentrar em fórmulas matemáticas e NÃO estava prestando um pingo de atenção. Fiquei só olhando para a parte de trás da cabeça da MacKenzie, desejando desaparecer dali.

Acho que eu devia estar muito triste, porque uma lágrima escorreu pela minha bochecha e pingou no meu caderno de geometria.

Mas eu limpei com a manga do meu moletom que não-
-é-do-shopping cheio de bolinhas antes que alguém visse.

Mesmo estando totalmente deprimida com todo o DRAMA por causa do convite, eu nem estava tão brava assim com a MacKenzie.

EU SOU UMA COMPLETA FRACASSADA!! Se eu fosse dar uma festa, também NÃO TERIA me convidado!

SÁBADO, 14 DE SETEMBRO

Eu tive a PIOR semana da história! POR QUÊ?

Porque a MacKenzie está ACABANDO com a minha vida.

1º Ela ARRUINOU as minhas chances no concurso de artes.

2º Ela me DESPREZOU ao NÃO me convidar para a festa.

3º Ela me RIDICULARIZOU me chamando de selvagem.

4º Ela me HUMILHOU EM PÚBLICO ao me dar um convite e depois me DESCONVIDAR.

5º Ela tentou ROUBAR o grande amor da minha vida, Brandon Roberts, quando enrolou a ponta dos cabelos e flertou com ele.

Planejei passar o fim de semana INTEIRO de pijama, sentada na cama, DEPRIMIDA e OLHANDO para a parede.

Por incrível que pareça, isso sempre faz eu me sentir melhor.

Eu deprê!

Mas o meu plano foi completamente ARRUINADO!

Perto da hora do almoço, minha mãe entrou no meu quarto superanimada e avisou que teríamos um churrasco em família.

Ela disse: "Querida, se vista logo e venha para o quintal se DIVERTIR com a gente!"

É óbvio que eu não estava no clima para "me divertir", e tudo que eu queria era ficar sozinha.

E eu não gostava de ficar no quintal, porque já tinha visto umas aranhas bem grandinhas por lá.

Eu tenho uma coisa com aranhas — elas me dão arrepios.

Além disso, meu médico disse que eu sou alérgica a bichos que sugam sangue humano, tipo aranhas, mosquitos, sanguessugas e vampiros.

Meu lema é: "NUNCA confie em chupadores de sangue!"

Enfim, quando eu fui para o quintal, vi que meu pai estava vestindo o avental e o chapéu de cozinheiro que demos para ele no Dia dos Pais.

Nele estava escrito "Meu pai cozinha muito bem!", mas a maior parte das letras havia sumido na lavagem, e agora só dava para ler "Meu pai co m bem!".

81

A maneira como arranjamos aquele presente é meio constrangedora. Minha mãe levou a Brianna e eu até um supermercado e nos deu trinta dólares para gastar num bom presente de Dia dos Pais.

Mas, depois que a Brianna comprou duas bonecas por 9,99 dólares e eu comprei o último CD da Miley Cirus por catorze, sobraram só 6,01 para gastar no presente, o que não era lá muita coisa.

Nossa sorte foi que eu vi um desses chapéus horríveis de cozinheiro em promoção por 3,87 dólares. E ainda vinha um avental junto.

Nós podíamos escolher entre "Beije o cozinheiro!", "Quando mamãe não está feliz, ninguém está feliz!", "Dá-lhe Timão" e "Meu pai cozinha muito bem!" em letras laranja fluorescente.

E, como o presente foi superbarato, ainda ficamos com um troquinho para comprar um cartão.

Mas eu convenci a Brianna de que o papai ia preferir um cartão feito por nós mesmas, e que ELA poderia fazer DE GRAÇA usando uma folha de papel, giz de cera e glitter.

Ela amou a ideia, e eu gastei o troco com pipoca e suco de abacaxi para mim. Até que estava gostoso, se levarmos em conta que eu estava morrendo de fome e que foram comprados num supermercado.

Quem poderia imaginar que o papai amaria tanto aquele presente cafona!

"Este é o MELHOR presente de Dia dos Pais que eu já ganhei em toda a minha vida!", ele disse, com os olhos cheios de lágrimas.

O que NÃO quer dizer lá muita coisa, porque todo ano a Brianna e eu nos superamos para achar o presente MAIS TOSCO de Dia dos Pais.

Mas nós sempre damos um jeitinho de desviar uma verba para nós mesmas. O Dia dos Pais é agora a nossa data favorita, depois do nosso aniversário e do Natal.

Seja como for, meu pai estava assando uma carne enquanto assobiava umas músicas velhas.

Daí, do nada, ele conseguiu criar um problema. Não porque estava assobiando, mas por causa da churrasqueira.

Eu acho que é o que poderíamos chamar de um problema com insetos.

Então, quando ele me pediu para buscar correndo o inseticida, eu tive um verdadeiro MAU pressentimento.

Falei: "Pai, tem certeza?"

E ele: "Eu não gastei vinte dólares em bifes para dividi-los com essas moscas malditas!"

Bem, ISSO foi um grande erro, porque NÃO se tratava de moscas.

O CHURRASCO DA NOSSA FAMÍLIA
(UMA HISTÓRIA EM QUADRINHOS)

FIM

Você poderia imaginar que um dedetizador experiente seria capaz de reconhecer uma mosca.

Para azar do meu pai, ele estava lidando com uma nuvem de MARIMBONDOS ENFURECIDOS!!

Daí que o nosso almoço acabou sendo um desastre total.

Para o meu pai se sentir um pouco melhor, nós todos comentamos como ele estava lindo com aquele chapéu e aquele avental, mesmo tendo se sujado todo ao cair dentro da lata de lixo da vizinha quando estava fugindo dos marimbondos.

TADINHO DO PAPAI ☹!!

Pelo menos a boa notícia é que eu pude voltar para o meu quarto e ficar deprê por mais algumas horas. UHUU!

SEGUNDA-FEIRA, 16 DE SETEMBRO

Hoje nós fizemos a prova de matemática sobre cálculo de volumes, e eu estava supernervosa. Especialmente porque não sou tão boa assim em matemática.

A última vez que tirei uma nota decente nessa matéria foi na primeira série. E até daquela vez eu errei quase metade das respostas.

Só que aconteceu de eu sentar perto da Andrea Snarkowski, a garota mais inteligente de toda a primeira série. Estávamos fazendo uma prova de adição quando "acidentalmente" notei que a resposta da Andrea para uma das questões era diferente da minha. Então, no último minuto, resolvi riscar minha resposta com um X e usar a mesma que ela tinha encontrado.

Foi bom eu ter feito isso, porque tirei 10 naquela prova! Minha professora ficou tão satisfeita com a minha milagrosa evolução — nos meus melhores dias, eu costumava tirar 3 ou 4 — que botou uma estrelinha dourada ao lado da minha nota. E só os grandes gênios como a Andrea Snarkowski ganhavam estrelinhas douradas ao lado de suas notas.

Como eu havia me transformado em uma aluna brilhante de matemática, também recebi o Prêmio Estudante do Mês, e saiu uma foto minha no jornal da escola.

NIKKI → MAXWELL

Eu na primeira série segurando a minha prova de matemática com nota máxima, depois que a Andrea Snarkowski meio que me deu uma mãozinha

ESTUDANTE DO MÊS

Meu pai e minha mãe ficaram TÃO orgulhosos de mim!

Eles tiraram 127 cópias da reportagem e mandaram pelo correio para cada um dos meus parentes ao redor do país.

Eu mal posso imaginar como eles ficaram felizes e empolgados ao abrir a carta:

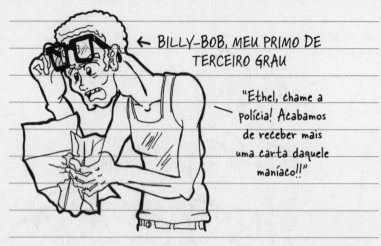

Tá bom, pode ser que alguns dos meus parentes não tenham me reconhecido de primeira.

Mas, se *tivessem*, eu tenho certeza de que teriam ficado superorgulhosos.

Enfim, minha prova de geometria sobre cálculo de volumes estava bem difícil.

Eu sei que deveria ter estudado mais. Mas, como passei o fim de semana inteiro deprê, eu meio que fiquei sem tempo para estudar.

Para falar a verdade, eu só rezei feito uma louca durante a prova.

Às vezes até em voz alta:

"POR FAVOR, POR FAVOR, POR FAVOR, ME AJUDE A PASSAR NA PROVA! ME PERDOE POR TER COCHILADO NA IGREJA NO DOMINGO PASSADO, EU PROMETO QUE NÃO VAI ACONTECER DE NOVO. ALÉM DISSO, VOCÊ PODE ME DIZER SE A FÓRMULA PARA CALCULAR O VOLUME DE UM CILINDRO É $\pi r^2 a$ OU $\pi a r^2$? E, PARA CALCULAR UMA ESFERA, VOCÊ MULTIPLICA O...?"

Acho que algumas pessoas sentadas perto de mim ouviram um pouquinho.

Eu fiquei TÃO feliz quando a prova finalmente terminou!

Enquanto eu guardava as minhas coisas na mochila para ir para a próxima aula, foi impossível não reparar que a MacKenzie me encarava com um olhar maldoso.

Daí ela andou até a Jessica e disse: "Hoje é o último dia para se inscrever no concurso de artes, e eu tenho que levar o meu formulário lá na secretaria. Encontro você na frente do meu armário. Tá bom, flor?"

Então a Jessica olhou para mim e disse bem alto: "Mac, eu tenho CERTEZA de que você vai ficar em primeiro lugar. As roupas que você desenha são tão de... hã... POPOZUDAS!"

NÃO dava para acreditar que a Jessica tinha dito isso, porque "popozudas" é muito fora de moda!

Mas o que me deixou furiosa foi que a MacKenzie riu na minha direção e disse: "Nikki, a escola inteira sabe que você é muito MEDROSA para entrar na competição de artes, porque EU SOU uma artista muito melhor do que você. Então, nem se preocupe mais com isso!"

Tá bom. Mesmo que a MacKenzie não tenha de fato DITO isso, ela definitivamente me olhou como se estivesse PENSANDO assim.

E, de qualquer forma, foi um INSULTO asqueroso contra a minha dignidade.

Daí ela jogou os cabelos para trás e saiu da sala rebolando. Eu ODEIO quando a MacKenzie rebola!

Como ela OUSA falar sobre o concurso de artes desse jeito, bem na minha cara??!!

Principalmente porque eu NÃO me inscrevi por culpa DELA.

Todo esse lance me deixou LOUCA!

De repente, eu não aguentei mais e gritei bem alto: "Foi a MacKenzie que COMEÇOU essa GUERRA, e agora SOU EU que vou TERMINAR!!"

Mas isso tudo eu disse dentro da minha cabeça, por isso só eu mesma escutei.

Então eu prometi solenemente a mim mesma:

EU, NIKKI J. MAXWELL,
de livre e espontânea vontade,
estou oficialmente me inscrevendo no
CONCURSO DE ARTE DE VANGUARDA!!

Eu ia de uma vez por todas mostrar para a MacKenzie que eu sou MEGA talentosa quando o assunto é arte. E nisso EU sou MUITO MAIS TALENTOSA do que ELA!

Então eu peguei todas as minhas coisas e fui até a secretaria para preencher a ficha de inscrição.

Com certeza absoluta a MacKenzie ainda estaria lá, aplicando a décima quarta camada de gloss e se gabando sem parar das roupas que desenhou.

"... e todo mundo acha que os looks que eu crio são O MÁXIMO, e que eu vou ser RICA e FAMOSA e me mudar para HOLLYWOOD e blá-blá-blá!"

Eu estava casualmente relaxando atrás de uma planta enorme em frente à porta da secretaria, cuidando da minha própria vida, quando, até que enfim, a MacKenzie saiu.

Mas é claro que eu NÃO estava, tipo, espionando a garota nem nada.

Eu só não queria chamar muita atenção nem queria que a MacKenzie pensasse que me inscrever no concurso era uma grande coisa para mim.

95

Apesar de que, para ser honesta, ERA uma grande coisa.

Era A coisa mais importante que eu já tinha tentado em TODOS os meus catorze anos de vida aqui na terra.

Entrei voando na secretaria e preenchi rapidinho a ficha de inscrição.

Quando eu entreguei a folha para a secretária, senti um misto de empolgação, náuseas e pânico revirando no meu estômago como restos de comida num triturador de lixo.

Saí da secretaria e tive que me apoiar na parede.

Meu coração batia tão forte que eu conseguia ouvir. Comecei a pensar se aquilo tudo não tinha sido um grande erro.

Daí, do nada, tive uma terrível sensação de que alguém me observava, apesar de os corredores parecerem vazios.

De repente, uma folha da planta em que eu tinha me escondido se mexeu, e vi aquele OLHO me encarando! Depois, dois olhos. Olhos congelantes bem azuis.

A MacKenzie (SIM, a MacKenzie) estava me espionando atrás daquela enorme planta em frente à porta da secretaria!

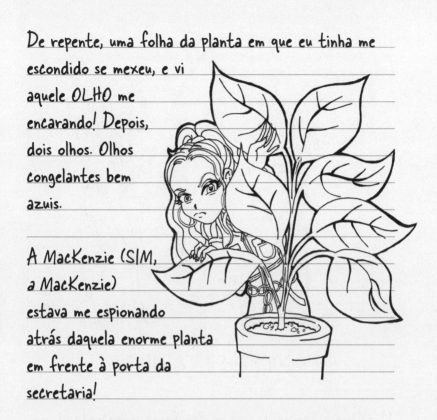

E ELA FOI PEGA MUITO NO FLAGRA!

Finalmente, ela saiu detrás da planta e rebolou até o bebedouro, como se só estivesse com sede. Mas para mim era óbvio que ela estava tentando me FORÇAR a mudar de ideia sobre o concurso usando técnicas de TORTURA AQUÁTICA.

"OOOOOPS! SINTO MUITO!"

MacKenzie tentou se fazer de tímida e inocente, como se todo o lance com o jato de água tivesse sido um acidente. Mas eu olhei naqueles olhos azuis brilhantes e tive certeza de que ela fez de propósito.

Eu ainda não conseguia acreditar que tinha mesmo pegado a MacKenzie me ESPIONANDO!

O que me deixou meio IRRITADA, porque eu não a sigo por aí, ESPIONANDO nem me metendo na vida dela.

Bem, pelo menos não com tanta frequência.

Hoje foi tipo uma GRANDE exceção, até porque nós duas estávamos nos inscrevendo no concurso ao mesmo tempo.

Mas se rebaixar a ponto de me ESPIONAR?!

ESSA GAROTA É UMA CRIANÇA MIMADA!

TERÇA-FEIRA, 17 DE SETEMBRO

Eu não consigo acreditar que estou escrevendo isso escondida no depósito do zelador!! Eu sei que aqui é supersujo e tem cheiro de vassoura velha, úmida e mofada, mas não consegui pensar em nenhum outro lugar para ir. EU DEFINITIVAMENTE

ODEIO! ODEIO! ODEIO! ODEIO! ODEIO! ODEIO! ESSA ESCOLA IDIOTA!!

Hoje na hora do almoço, eu estava carregando a minha bandeja e caminhando em direção à mesa 9, onde encontraria a Chloe e a Zoey. Estava tudo indo bem, porque eu já havia passado de fininho pela mesa dos atletas, cuidando para que os jogadores de futebol não ficassem fazendo aqueles barulhos constrangedores de peido com o sovaco.

Mas, quando passei ao lado da mesa da MacKenzie, eu realmente não estava prestando atenção. Ela e a Jessica AINDA deviam estar furiosas comigo por causa do convite e do concurso de artes, porque aconteceu o seguinte:

EU NO REFEITÓRIO TENTANDO CHEGAR À MESA 9

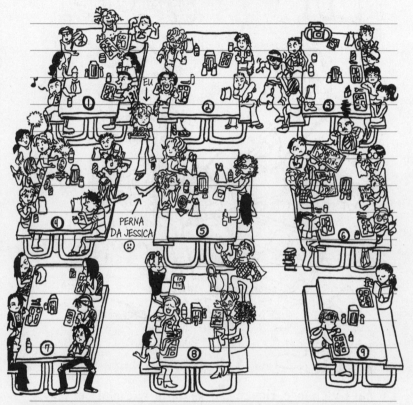

Eu tropecei, e de repente tudo começou a se mover em câmera lenta. A comida na minha bandeja voou por cima da minha cabeça, e ouvi uma voz bem conhecida gritando:

"Naaaaaaaaaaaaaaaaao!"

E, para minha DESGRAÇA, me dei conta de que a voz era MINHA!

Eu caí no chão e fiquei tão passada que mal conseguia respirar. Minha roupa ficou toda lambuzada de macarrão e creme de cereja, que era a sobremesa. Eu parecia uma versão real das pinturas a dedo que minha irmã fazia.

Fechei os olhos e fiquei lá como uma baleia encalhada, sentindo dor em cada parte do corpo. Até meu cabelo doía. Mas o pior de tudo foi que todo mundo ria feito louco.

Fiquei com TANTA vergonha que quis MORRER. Eu mal conseguia enxergar, porque tinha creme de cereja nos olhos, e para onde quer que eu olhasse tudo parecia vermelho e borrado.

Finalmente consegui reunir forças suficientes para ficar de joelhos.

Mas, sempre que tentava me levantar, escorregava na mistura de espaguete e creme e caía de novo.

Eu tenho que admitir, deve ter sido hilário me ver daquele jeito.

E, se não tivesse acontecido COMIGO, eu provavelmente estaria morrendo de rir junto com todo mundo.

Então a MacKenzie cruzou os braços, olhou para mim e gritou:

"E AÍ, NIKKI, ESTÁ SE DIVERTINDO BASTANTE?!"

É claro que esse comentário engraçadinho fez com que todos rissem ainda mais.

Foi a coisa MAIS CRUEL que a MacKenzie poderia ter dito, até porque ela era uma das responsáveis pela "diversão".

Me senti tão humilhada que comecei a chorar.

A boa notícia é que as lágrimas tiraram os restos de comida que eu tinha nos olhos e voltei a enxergar.

A má notícia, porém, é que a primeira coisa que vi foi um cara ajoelhado na minha frente com uma câmera pendurada no pescoço.

E só UMA pessoa na escola inteira tem uma câmera dessas.

Em meio segundo eu já tinha certeza de que apareceria na PRIMEIRA PÁGINA da próxima edição do jornal da escola ☹!

E eu NÃO ia mandar esse artigo para nenhum parente.

Estava na cara que, de uma forma ou de outra, a MacKenzie havia seduzido o Brandon com seu incrível charme e o levado para o LADO NEGRO!

E depois fez LAVAGEM CEREBRAL nele!

Como é que o garoto de quem eu estava A FIM — o AMOR secreto da minha vida — poderia fazer algo tão HORRÍVEL e MALDOSO comigo?!

Me senti como se o meu coração tivesse sido apunhalado com a minha caneta da sorte — aquela rosa com tinta brilhante, que tem penas, pingentes e lantejoulas na ponta —, e eu tivesse sido abandonada agonizando. No chão da cantina do colégio. Com todo mundo olhando. E rindo. Pelo meu amado BRANDON!!

Então aconteceu a coisa mais bizarra.

Brandon meio que sorriu para mim, colocou a câmera de lado, segurou a minha mão e me levantou do chão.

"Você... está bem?"

Eu tentei dizer "Sim", mas a minha voz emitiu um som estranho, como se eu estivesse engasgada ou algo assim. Então eu engoli e respirei fundo.

"Claro. Estou bem. Eu comi macarrão no jantar ontem, mas ele não era assim tão liso!"

Me encolhi toda. Não dava para acreditar que eu tinha dito aquilo. Eu sou *tão* RETARDADA!!

Então eu fiquei olhando, encantada, para o Brandon, enquanto ele me passava um guardanapo. Parecia que tudo estava em câmera lenta. Eu quase MORRI quando acidentalmente nossos dedos se TOCARAM...

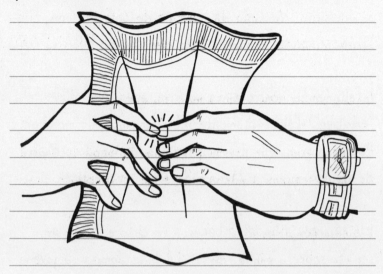

... mesmo que tenha sido tão rápido, como um esquilo amável porém selvagem sugando o doce néctar de uma daquelas delicadas flores roxas do jardim da minha mãe, que meu pai matou sem querer com o veneno para ervas daninhas. Nosso olhar se cruzou e, por um segundo, foi como se estivéssemos olhando para dentro da profunda e mística caverna que existe em nossa alma. Eu me lembrarei PARA SEMPRE das palavras que ele cochichou no meu ouvido trêmulo:

"É... Eu acho que você está... com um negócio na cara".

Eu fiquei vermelha e com as pernas bambas. "Acho que é o meu almoço..."

"É, deve ser..."

Infelizmente, nosso papo emo (que, aliás, quer dizer "emotivo") foi bruscamente interrompido pelo monitor do refeitório, o sr. Norfolk. Mas todo mundo o chama de sr. No... e uma palavra não muito agradável.

Ele começou a limpar a bagunça no chão e a dar um sermão sobre a minha responsabilidade, como uma jovem adulta, de manter a comida na bandeja o tempo todo. Brandon revirou os olhos de maneira supercharmosa e meio que sorriu para mim de novo.

"Acho que nos vemos na aula de biologia."

"Sim... tá bom. E obrigada. Pelo guardanapo e tal."

"Ah, beleza."

"Na verdade, a gente usa guardanapos iguais a esses lá em casa. Minha mãe compra na promoção. No supermercado..."

"Ah... legal. Bom, até mais."

"Até, nos vemos na aula de bio."

Brandon pegou sua mochila e saiu do refeitório.

Eu apertei o guardanapo contra o peito e suspirei.

Apesar de tudo que tinha acontecido, eu de repente fiquei MUITO feliz e comecei a sentir, tipo, borboletinhas pelo meu corpo todo.

Mas isso durou só uns dez segundos, que foi o tempo que levou até eu reparar na MacKenzie.

Ela estava MUITO brava, de boca aberta e com a cara toda torta.

MACKENZIE

Na real, ela estava meio assustadora!

"Espero que você não seja IMBECIL a ponto de achar que ELE iria gostar de uma FRACASSADA como você!", ela gritou enlouquecida.

Mas eu acho que ainda estava meio desorientada, porque não tinha a menor ideia do que ela estava falando.

"Ahn... ele QUEM?", perguntei.

Foi quando a Jessica deixou escapar: "Você é tão IDIOTA. MEU DEUS! Olhem! Eu acho que ela MIJOU nas calças!"

E a MacKenzie disse: "MEU DEUS! Você tem razão. Ela MIJOU nas calças!"

As duas começaram a rir e a apontar para mim de novo.

Eu só revirei os olhos e disse: "Tá bom! Eu derrubei LEITE nas calças. Vocês são tão burras que não sabem nem o que é leite?"

Depois disso, saí correndo do refeitório e entrei no primeiro banheiro feminino que encontrei.

Lá dentro tinha umas cinco meninas em frente ao espelho, experimentando os sabores do gloss umas das outras.

Elas ficaram completamente paralisadas e me encaravam em choque, de queixo caído.

Era como se NUNCA tivessem visto alguém coberto de macarrão e creme de cereja da cabeça aos pés.

Como tem gente GROSSA!

Voltei para o corredor cambaleando, como um zumbi. Mas, em vez de deixar uma trilha viscosa de carne podre, eu deixava uma trilha de macarrão, molho e creme de cereja.

Então me dei conta de que a porta do depósito do zelador estava entreaberta. Espiei ali dentro e, como não havia ninguém, entrei de fininho e fechei a porta.

Eu me sentia PÉSSIMA! Foi quando comecei a chorar e a escrever no meu diário.

Logo comecei a ouvir algumas vozes vagamente familiares sussurrando e rindo do outro lado da porta.

Eu tinha certeza de que a panelinha da MacKenzie estava tentando me encontrar para me encher ainda mais o saco com a história do xixi nas calças.

"Tem certeza de que ela está aí dentro?"

"Acho que sim. O macarrão vai até a porta e depois desaparece. E, veja, aqui tem pegadas de cereja! Ela só pode estar aqui."

Só pensei: *QUE BELEZA!*

Naquela hora, eu teria feito qualquer coisa para EVAPORAR.

Então elas tiveram a coragem de bater na minha porta. Bem, não exatamente na minha porta, mas na do depósito do zelador.

Me senti como aquelas vítimas de filme de terror, que estão sozinhas em casa e ouvem alguém batendo na porta.

E, quando elas vão abrir, a plateia toda fica gritando: "NÃO ABRE! NÃO ABRE!"

Mas elas abrem mesmo assim, porque *não sabem* que estão num filme de terror.

SEXTA-FEIRA 14 (O MINUTO DO PESADELO)

Quem será que está batendo?

Ah, deve ser o entregador de pizza!

Então... quer dizer que você está cortando cabelo de graça?!

Mas eu não sou TÃO burra!

Eu SABIA que estava presa num filme de terror, então NÃO abri a porta do depósito do zelador. De repente tudo ficou em silêncio, e suspeitei de que se tratava de um truque para me fazer pensar que elas tinham ido embora.

Mas algo me dizia que elas continuavam lá fora.

"Nikki, você está bem?! Nós acabamos de saber o que aconteceu."

"Sim, a gente queria saber se está tudo bem!"

Então, finalmente eu reconheci as vozes.

Eram a CHLOE e a ZOEY!!

A Zoey disse: "Amiga, não me faça derrubar a porta, porque você sabe que eu sou bem capaz de fazer isso!"

Isso me fez rir, porque a Zoey tinha dificuldade até para abrir o armário. E às vezes até garrafinhas de água.

E eu tipo: *Ah, tá!*

Então a Chloe falou: "Se você não sair daí e vier falar com a gente, nós vamos ENTRAR!"

A próxima coisa que eu notei foi elas duas enfiando a cabeça dentro do depósito e fazendo um monte de palhaçadas.

A Chloe começou a urrar, enquanto chacoalhava as mãos feito uma louca, e a Zoey ficou mostrando a língua e piscando para mim.

Elas estavam tipo...

"E AÍ, AMIGA!!"

Por algum motivo, vê-las me fez começar a chorar de novo. Pouco tempo depois, estávamos as três bem calmas, discutindo no depósito do zelador sobre o drama todo que tinha rolado por causa da Jessica e da MacKenzie.

Mas não contei a parte do Brandon, porque ainda estava com um pouco de vergonha disso. E também porque eu tinha certeza de que ele escolheria a MacKenzie em vez de mim. Se eu fosse um garoto,

também escolheria. Eu não tinha NENHUMA esperança de que o Brandon gostasse de mim de verdade.

O intervalo do almoço passou voando. A Chloe e a Zoey me ajudaram a esfregar a maior parte das manchas de comida da minha roupa com toalha e sabão na pia do banheiro.

Mas algumas manchas não saíram. E eu mal acreditei quando a Zoey foi correndo até o armário dela para pegar seu blusão da sorte favorito para que eu vestisse por cima e escondesse a sujeira.

E a Chloe disse que, se eu passasse mais um pouco de seu gloss ultrabrilhante Bala de Maçã e um pouco de seu delineador azul-marinho, todo mundo (principalmente os garotos) repararia nos meus lindos e saborosos lábios e nos meus olhos encantadores, em vez de prestar atenção naquela mancha de mijo... quer dizer... de LEITE na parte da frente da minha calça.

Que, para minha sorte, não estava muito visível, porque já estava começando a secar.

Apesar de todas as coisas ruins que aconteceram comigo durante o almoço, eu definitivamente me sinto bem melhor agora. Talvez eu não odeie mais tanto assim esse colégio. Mas aposto que o Brandon me acha uma

TREMENDA OTÁRIA!!

QUARTA-FEIRA, 18 DE SETEMBRO

Eu acho que estou sofrendo de semcelularofobia.

Sei que o nome parece de uma doença asquerosa em que o doente fica coberto da cabeça aos pés com feridas e verrugas, ou qualquer outra coisa nojenta dessas.

Mas, na verdade, é o medo irracional de NÃO ter um celular.

A pior coisa de sofrer de semcelularofobia é que ela pode causar alucinações e levar você a fazer coisas incrivelmente BABACAS.

Acho que eu tive um ataque dessa doença degenerativa hoje, quando estava voltando da escola.

Eu tive a impressão de ver jogado na calçada, ao lado da nossa caixa de correio, um acessório de celular pequeno e superbonitinho, daqueles que se encaixam atrás da orelha.

Fiquei tipo: "MARAVILHA!! Um acessório de celular caiu do céu DE GRAÇA! Parece ÓTIMO!"

Mas, quando cheguei mais perto, notei que era cor da pele.

Percebi que o que eu tinha encontrado era, na verdade, um APARELHO AUDITIVO.

Óbvio que eu fiquei arrasada quando me dei conta disso, porque já estava vibrando por ter encontrado um acessório de celular de graça, bem ali no meio da calçada.

Achei que o aparelho devia ser da sra. Wallabanger, a velhinha que mora na casa ao lado da nossa.

Eu suspeitava que ela andava meio surda porque nos últimos dias, quando eu estava indo para o colégio e dizia "Bom dia", ela me pedia para repetir umas sete vezes.

Ela tem um yorkshire esquelético chamado Muffin e o leva para passear duas vezes por dia. O Muffin parece uma bola de algodão com quatro patas, mas é tão cruel quanto um dobermann.

Enfim, passei uns cinco minutos tentando decidir se batia ou não na porta da sra. Wallabanger para perguntar se ela tinha perdido seu aparelho auditivo. Mas me dei conta de que, se ela NÃO tivesse perdido, eu perderia um bom tempo e energia. E, se ela TIVESSE, seria um desperdício de tempo e energia AINDA MAIOR. E eu tinha razão. Aconteceu o seguinte:

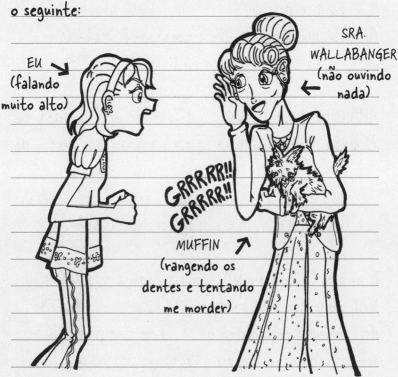

O QUE EU DISSE	O QUE ELA DISSE
Olá, sra. Wallabanger. Só vim perguntar se a senhora perdeu seu aparelho de audição.	O que você disse, menina?
Seu APARELHO AUDITIVO!! A senhora perdeu?	Ahn? Fala mais alto, pode ser?
A senhora perdeu seu APARELHO AUDITIVO?!	Ahn? Você disse que eu tenho um ESPELHO MUITO ANTIGO??
APARELHO AUDITIVO!! APARELHO AUDITIVO!!	Não tente me fazer de boba, sua pestinha! Se eu preciso de um espelho novo ou não, isso não é da sua conta. SAIA JÁ DA MINHA CASA!!

E eu tipo: "Deixa pra lá!" Meu papo com a sra. Wallabanger NÃO foi muito bom. Então resolvi ficar com o aparelho dela por um tempo. Como ela só sai de casa para passear com o cachorro, o que era o PIOR que poderia acontecer?!

"Ei, senhora! Cuidado! Não pise nesse monte de...!"

"A senhora não me ouviu? Eu disse para tomar cuidado com o CIMENTO FRESCO!!"

"Muffin, querido, esse não é o grito de acasalamento daqueles gansos de barriga amarela do pântano?!"

Tá bom, talvez a PIOR coisa que pudesse acontecer seria a sra. Wallabanger ser atropelada por um caminhão.

Mas isso seria MINHA culpa?!

QUINTA-FEIRA, 19 DE SETEMBRO

Hoje a minha professora de ciências, a sra. Simmons, lembrou à turma que o nosso trabalho sobre como a reciclagem pode ajudar a interromper o aquecimento global tem de ser entregue na próxima segunda.
Eu ainda não tinha a menor ideia do que ia fazer. Provavelmente acabaria esperando minha criatividade desabrochar e inventaria alguma coisa na última noite antes da entrega, como sempre.

Na hora do almoço, vi as GDPs amontoadas ao redor da MacKenzie, histéricas por causa do novo celular Prada que ela tinha ganhado. E adivinha só! Ela tinha um acessório encaixado ao redor da orelha que era quase idêntico ao aparelho auditivo que eu tinha encontrado.

Mesmo que eu já estivesse me sentindo meio culpada por ficar com o aparelho auditivo da sra. Wallabanger, de repente tive uma ideia brilhante para o trabalho de ciências. Era o seguinte:

1. Estimular a reciclagem para diminuir a poluição.

2. Ajudar a acabar com o aquecimento global reduzindo o número de gostosonas que ficam tagarelando sem parar no celular.

3. Fazer a minha popularidade no colégio bombar levando todo mundo a acreditar que eu tenho um desses celulares caros, igualzinho ao da MacKenzie.

Peguei emprestada a filmadora do meu pai e filmei o trabalho.

COMO FAZER UM CELULAR FAUX UTILIZANDO UM APARELHO AUDITIVO

(Um trabalho de ciências por NIKKI MAXWELL)

Olá, eu sou a Nikki. Vou mostrar a vocês como fazer um celular "faux" utilizando um aparelho auditivo. A palavra "faux" é pronunciada "fô", como em "fobia". É uma palavra em francês que só gente metida usa, e quer dizer "falso" ou "forjado".

PRIMEIRO PASSO: SEPARE OS MATERIAIS

Para este trabalho, você vai precisar de:

● 1 aparelho auditivo (reciclado, encontrado ou "emprestado")
● 1 prato de papelão
● 1 tubo de tinta spray (preta ou prateada, dependendo do modelo que você quer fazer)

SEGUNDO PASSO: PINTE O APARELHO AUDITIVO

Utilizando a minha criatividade e todo o meu talento para a arte e os trabalhos manuais, coloco o aparelho auditivo reciclado da sra. Wallabanger — quer dizer, o MEU aparelho auditivo reciclado no prato de papelão.

Então, eu o pinto cuidadosamente com tinta preta metalizada.

Em seguida, deixo a tinta secar por trinta minutos.

Reciclar é uma atitude fundamental para acabar com o aquecimento global, como a minha excelente professora, a sra. Simmons, nos ensinou na aula de ciências. (Palmas para a sra. Simmons.)

TERCEIRO PASSO: CRIE UM ROTEIRO PARA SUAS CHAMADAS FAUX

Mesmo que seu celular pareça tão real que é capaz de enganar até sua família e seus amigos, é preciso lembrar sempre que ele NÃO é de verdade. Isso significa que você terá de inventar coisas faux (falsas) para falar quando estiver usando o celular, tipo:

1. "Triiiiiiiim! Triiiiiiiiiim!"
(Isso é seu telefone tocando. Recomendo usar uma voz bem aguda para que pareça de verdade. Ou você pode cantar ou murmurar sua música favorita.)

2. "MEU DEUS! NÃO ACREDITO que ela disse isso! Vou desligar e ligar para a (insira o nome da maior fofoqueira da sua escola) agorinha!"

3. "Eu adoraria dar meu número para você, mas já recebo TANTAS ligações que meus pais estão dizendo que, se eu der o número para mais alguém, vou ficar sem telefone. Mas, se quiser, eu posso botar seu nome na lista de espera..."

4. "Alô? Alô? Tá me ouvindo agora? Tá cortando a ligação! Alô?!"

5. "#@¡%¿!! Caiu de novo! EU ODEIO ter conta na (insira o nome da pior operadora da sua região)!"

6. "Alô, eu queria pedir uma pizza grande com (insira o ingrediente que você mais gosta) extra e sem (insira o ingrediente que você menos gosta). Obrigada!"

7. "PUTZ! Essa porcaria não está funcionando! Ou está sem bateria, ou eu preciso comprar créditos. Desculpa!"
(Essa mentira muito convincente você vai contar sempre que alguém pedir seu celular emprestado para dar uma ligadinha. LEMBRE-SE DE QUE ELE NÃO É DE VERDADE!)

QUARTO PASSO: ENCAIXE SEU CELULAR FAUX NA ORELHA E COMECE A FALAR

Parabéns!

Seu novo celular faux já está pronto para ser usado!

IMPRESSIONE sua família e CAUSE INVEJA em seus amigos.

E o mais importante: faça a SUA parte para ajudar a DIMINUIR o aquecimento global. Transforme seu velho aparelho auditivo em um celular faux hoje mesmo!

FIM

Infelizmente, eu tive alguns probleminhas com o quarto passo. Depois do jantar, decidi treinar um pouco o barulho do meu toque, para que eu pudesse começar a receber ligações falsas já no outro dia no colégio. Eu estava usando meu telefone fazia uns cinco minutos quando comecei a sentir algo parecido com uma queimadura na orelha direita e em volta dela.

Depois de dez minutos, aquilo se tornou uma irritação na pele. Daquelas que incomodam MUITO.

Não demorei para chegar à conclusão de que aquela irritação na pele era culpa da minha MÃE!

Por que ela nunca se preocupou em me dizer que eu sou superalérgica a tinta spray preta metalizada? Ela TINHA que saber isso, né? Foi ela quem me botou no mundo!

Sorte a minha que meu pai ainda tinha um pouco de antialérgico guardado, da vez em que ele foi atacado por aqueles marimbondos. Então eu apliquei em volta da orelha e em uma parte da bochecha.

Como eu não tinha mais nada para fazer com o aparelho auditivo da sra. Wallabanger, decidi que a coisa mais ética e correta seria devolver o negócio para ela.

ANONIMAMENTE!

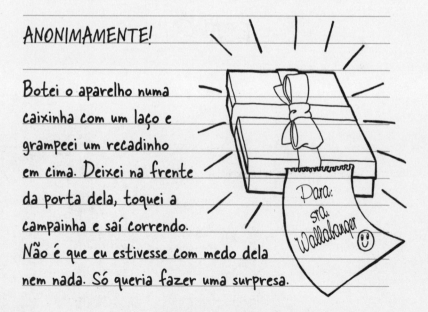

Botei o aparelho numa caixinha com um laço e grampeei um recadinho em cima. Deixei na frente da porta dela, toquei a campainha e saí correndo. Não é que eu estivesse com medo dela nem nada. Só queria fazer uma surpresa.

Mais tarde, vi a sra. Wallabanger passeando com o cachorro, e ela estava com o aparelho e um sorriso enorme no rosto.

Se ALGUM DIA eu encontrar outro aparelho auditivo na calçada, tenho certeza de que vou passar reto. Só espero que:

1. Eu tire uma nota alta no meu trabalho sobre o aquecimento global.

2. Essa irritação na minha pele suma antes da aula de amanhã.

ECA! ☹!!

SEXTA-FEIRA, 20 DE SETEMBRO

Eu já havia acordado e estava me preparando para ir ao colégio quando notei que eu AINDA estava com a alergia causada pelo meu celular faux! Quase engasguei com a pasta de dente branqueadora de menta, com brilho extra, antitártaro e antiplacas.

Agora que o gatinho do Brandon finalmente notou minha existência, eu NÃO PODIA ir para o colégio com uma irritação que fazia minha orelha parecer a de um elfo com graves queimaduras de sol. Sabe aqueles elfos de desenho animado que fazem biscoitos dentro de uma árvore infestada de formigas, cupins, centopeias e besouros? Sempre me perguntei o que eram aquelas coisas marrons crocantes nos biscoitos. Ecaaaaaaa!

Enfim, eu sabia que a minha mãe NÃO ia me deixar matar aula a não ser que eu estivesse com pelo menos uns 140 graus de febre. Que, aliás, é a mesma temperatura na qual ela assa o peru de Natal.

O lema da minha mãe é: "Ei! Por que deixar que um simples caso de gangrena ou lepra a impeça de receber uma boa educação?!"

Depois de tentar todos os truques possíveis, finalmente descobri como convencer a minha mãe de que estou muito mal para ir à escola. Tenho que FINGIR que estou vomitando até as tripas.

Quão DOENTIO é ISSO?!

Tive essa ideia no último inverno, quando a Brianna teve infecção intestinal. Minha mãe tirou folga do trabalho e deixou a minha irmãzinha faltar no colégio por uma semana inteirinha.

Para completar, ela comprou todos os filmes da Disney favoritos da Brianna em DVD e um jogo de computador novo para ela ter o que fazer quando estivesse em casa.

Acho que a mamãe deve ter ficado muito comovida com aquele vômito todo. Umas três semanas depois, eu faltei na escola por causa de uma infecção na garganta e achei que isso ia me render pelo menos alguns CDs novos. Mas tudo que ganhei foi uma caixa de picolés. E, para piorar, era tudo sem açúcar e de baixa caloria. Parecia suco de pepino congelado no palitinho. Fiquei tipo supersatisfeita! ☹

Valeu mesmo, mãe!

Mas eu tenho de admitir: a Brianna ESTAVA mesmo muito pior do que eu. Ela não conseguia segurar nada no estômago, nem água!

Eu me recusava a chegar perto dela sem a minha capa de proteção antivômito:

Eu prontinha para encarar o jato de vômito da Brianna por causa da infecção intestinal. Eca!

136

Como eu sabia que a minha mãe não ia considerar minha alergia grave o suficiente para me deixar ficar em casa, decidi descer e fazer uma batida de vômito falso, também conhecido como "vômito faux". O mais engraçado é que eu precisei fazer esse vômito faux por causa da inflamação causada pelo meu celular faux. A vida é mesmo cheia de pequenas ironias.

Minha sorte é que fui a primeira a levantar, então eu tinha a cozinha inteira só para mim por uns quinze minutos. Como eu ia acabar fazendo sujeira, botei meu pijama velho de coraçõezinhos e corri para o andar de baixo.

Minha receita secreta era superfácil e tinha cheiro e aparência de vômito de verdade:

VÔMITO FAUX PARA FALTAR NA ESCOLA

1 xícara de flocos de aveia cozidos

$1/2$ xícara de creme azedo (ou manteiga rançosa, ou qualquer coisa que tenha cheiro de leite estragado)

2 palitinhos de queijo picados (para dar textura)

1 ovo cru (para ficar bem pegajoso)

1 lata de ervilha (para coloração verde podre)

$1/4$ de xícara de uva-passa (para ficar mais nojento)

Misture os ingredientes e cozinhe em fogo baixo por dois minutos.

Deixe a mistura esfriar até a temperatura de vômito.
Use livremente, o quanto for necessário.
Rende de 4 a 5 xícaras.

ATENÇÃO: Isso é TÃO nojento que pode fazer mal ao seu estômago *de verdade*, levando você a vomitar *de verdade*. Nesse caso, você terá que faltar à aula *de verdade* ☹!

Coloquei duas xícaras em uma tigela e subi de novo para o segundo andar. Fui até o meu quarto e espalhei a mistura na parte da frente do meu pijama de coraçõezinhos. Daí gritei numa voz bem manhosa:

"MÃE! Por favor, vem correndo! Não tô me sentindo muito bem. Tô com o estômago embrulhado, e acho que eu vou...

bleeaaaaaarrrrgghhhhh!"

Claro que funcionou perfeitamente ☺!! Minha mãe caiu direitinho e disse que eu não só estava com o estômago embrulhado como também tinha uma inflamação na orelha.

Ela disse que, como eu não estava com febre, era bem provável que me sentiria melhor se passasse o dia de repouso na cama. Respondi que já me sentia bem melhor (piscadinhas inocentes). Daí ela limpou meu "vômito", me ajudou no banho e me colocou de volta na cama, com direito a beijinho e tudo.

Dormi até meio-dia, hora do programa da Tyra Banks. Eu simplesmente AMO essa MULHER!

Mas, quando fui até a cozinha para beliscar um pouco do almoço, me dei conta de que tinha me ESQUECIDO completamente de jogar as sobras do vômito faux no lixo.

Por isso, quando eu vi que a minha mãe tinha deixado um bilhete no balcão onde estava a panela (agora vazia), SABIA que tinha me metido na MAIOR encrenca. Entrei em pânico, e meu estômago ficou embrulhado, mas dessa vez DE VERDADE! O bilhete dizia:

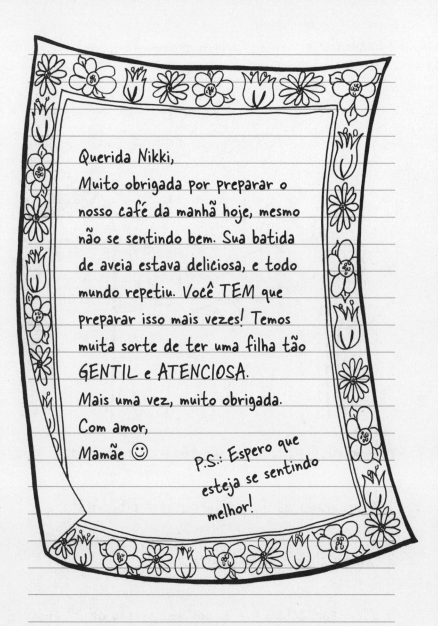

Querida Nikki,
Muito obrigada por preparar o nosso café da manhã hoje, mesmo não se sentindo bem. Sua batida de aveia estava deliciosa, e todo mundo repetiu. Você TEM que preparar isso mais vezes! Temos muita sorte de ter uma filha tão GENTIL e ATENCIOSA.
Mais uma vez, muito obrigada.
Com amor,
Mamãe ☺

P.S.: Espero que esteja se sentindo melhor!

Passei a tarde toda vendo TV e atacando a geladeira. Eu até pedi uma pizza!

Além disso, TRÊS coisas me deixaram superfeliz:

1. O programa da Tyra Banks estava DEMAIS!

2. Minha alergia sarou completamente.

3. Meus pais acham que eu sou uma versão de 14 anos da Nigella.

SEGUNDA-FEIRA, 23 DE SETEMBRO

Eu acho que a Chloe e a Zoey ficaram malucas de vez!

Primeiro, elas quase surtaram quando a sra. Peach disse que levaria seis de suas AOBs mais dedicadas para Nova York para participar da Semana Nacional da Biblioteca.

Pelo que eu entendi, é como se fosse um carnaval só de pessoas que amam bibliotecas. A sra. Peach já está planejando tudo, mesmo o evento só sendo em abril — ou seja, ainda faltam sete meses.

Mas, quando a sra. Peach disse que rolaria uma confraternização com vários escritores famosos, tipo a Stephenie Meyer, a Meg Cabot, o Rick Riordan e um outro cara que eu nunca ouvi falar (a Zoey disse que ele é filho do dr. Phill e o guru da autoajuda para adolescentes PREFERIDO dela), a Chloe e a Zoey começaram a pular de um lado para o outro e a berrar até não poder mais.

Eu falei: "Amigas, fiquem SUSSA, PLEEEASE!"

ANÚNCIO DA SRA. PEACH

Quer dizer, eu até estava empolgada, mas não DESSE JEITO. Agora, se a sra. Peach avisasse que ia nos levar para Nova York para uma confraternização com, sei lá, os Jonas Brothers, o Kanye West E o

Justin Timberlake, eu teria tido um treco, desmaiado e me revirado no chão num ataque epilético.

O QUE EU QUERIA QUE A SRA. PEACH TIVESSE ANUNCIADO...!

A Chloe e a Zoey são muito queridas e ótimas amigas. Mas eu tenho que admitir que às vezes elas são... tipo... MUITO ESTRANHAS!!

Durante todo o tempo que a gente passou organizando os livros, elas ficaram falando sobre como precisávamos fazer algo realmente especial para convencer a sra. Peach a escolher nós três para ir a Nova York.

"E por que a gente simplesmente não tenta ser as AOBs MAIS dedicadas?", sugeri. "Podíamos começar tirando a poeira desses livros."

Me parecia, tipo, óbvio.

Mas a Chloe e a Zoey olharam para mim como se eu fosse louca.

"TODAS as outras AOBs vão fazer coisas chatas como ESSA para tentar impressioná-la!", a Chloe suspirou.

"Claro! Nós temos que bolar algum plano secreto para surpreender a sra. Peach!", a Zoey disse, empolgada.

Tá bom, tirar a poeira dos livros NÃO era exatamente uma ideia genial. Mas pelo menos me ajudaria a espirrar menos.

146

Nós estávamos botando em ordem umas revistas novas quando a Chloe encontrou uma *Que Demais!* e começou a folhear. De repente, ela deu um gritinho:

"MEU DEUS! É exatamente isso que a gente devia fazer!"

"O quê? Fazer uma transformação e virar modelos?", perguntei sarcasticamente.

"NÃO! Óbvio que não!", ela respondeu, revirando os olhos.

"Já sei! Já sei! Deixe. Seu. Rosto. Livre. De. Espinhas!", disse a Zoey, lendo uma das chamadas na capa da revista.

"Claro que não!", disse a Chloe. "Não é isso!" Ela estava tão empolgada que parecia que seus olhos iam saltar para fora. Então ela enfiou a revista na nossa cara e apontou.

"...ISSO!!"

Zoey e eu ficamos tipo: "TATUAGEM?! Você tá LOUCA?!"

"Uma tatuagem de incentivo à leitura seria PERFEITA! E ia mostrar como nós somos sérias e comprometidas. Com certeza a sra. Peach nos escolheria para a viagem!", gritou a Chloe.

"Que ideia IRADA!", disse a Zoey, olhando com admiração a modelo linda e tatuada na capa da revista.

"Aposto que vamos ficar tão descoladas quanto ela quando fizermos as nossas! DEMAIS!"

Ok. Eu aguentaria numa boa uma viagem chata para a Semana Nacional da Biblioteca. Mas jamais faria uma tatuagem para CELEBRAR uma viagem chata para a Semana Nacional da Biblioteca. Aliás, QUE tipo de tatuagem eu faria?

Eu tinha de pensar rápido. "Hum... Eu também acho que é uma ótima ideia, gente. Mas uns dias atrás eu descobri que sou... superalérgica a... aparelhos auditivos pintados com spray."

A Chloe e a Zoey ficaram perdidas.

"Por que alguém pintaria um aparelho de audição com tinta spray? Isso é TÃO bizarro!", disse a Chloe, balançando a cabeça como se eu fosse realmente patética. A Zoey concordou.

Foi quando eu me irritei e comecei a gritar com elas: "Vocês sabem o que eu acho BIZARRO? Bizarro é fazer uma TATUAGEM para a Semana Nacional da Biblioteca!!" Mas isso tudo eu disse dentro da minha cabeça, então só eu mesma escutei.

"Bem, tintas de spray e de tatuagem são ambas... hum, coloridas, então eu tenho certeza de que sou alérgica", eu disse. "O que é muito injusto, porque eu estava doida para fazer uma tatuagem um dia, antes de morrer."

"Bom, se é uma questão de saúde, nós entendemos, né, Zoey? Ei! Por que você não nos ajuda a escolher as nossas tatuagens?" A Chloe estava tentando fazer com que eu me sentisse melhor.

"É, vamos pedir para nossos pais nos levarem neste fim de semana!", disse a Zoey com empolgação. "Mal posso esperar para ver a cara da sra. Peach quando vir a nossa tatuagem!"

Mas eu já sabia qual seria a cara dela quando visse a Chloe e a Zoey...

POBRE SRA. PEACH!! ☹

TERÇA-FEIRA, 24 DE SETEMBRO

Eu tinha esperanças de que a Chloe e a Zoey desistissem dessa ideia maluca de fazer tatuagem da Semana Nacional da Biblioteca. Graças a Deus, os pais delas disseram: "Nem pensar!" Mas, quando me encontrei com elas na aula de educação física, elas ainda estavam bem chateadas.

Nossa professora nos dividiu em grupos de três para a prova de balé, e no começo fiquei feliz que a Zoey, a Chloe e eu tínhamos ficado juntas. Cada grupo tinha de escolher uma música da coleção de CDs da professora e criar uma pequena coreografia usando os cinco passos de balé que havíamos aprendido nas últimas semanas. Como eu sabia fazer todos eles, tinha certeza de que tiraria 10 na prova, ou, na pior das hipóteses, 8.

EU DEMONSTRANDO MINHA INCRÍVEL TÉCNICA DE BALÉ

Mas, infelizmente, a Chloe e a Zoey estavam deprimidas demais para dançar.

Eu disse alguma coisa do tipo: "Vamos lá, gente, animem-se! Nós temos de fazer a nossa coreografia e praticar um pouco antes que o tempo acabe". Mas as duas só olharam para mim com cara de cachorro pidão.

"Eu não acredito que os nossos pais não vão deixar a gente fazer a tatuagem! É muito injusto!", resmungou a Chloe.

"E agora a sra. Peach NUNCA vai nos escolher para a viagem a Nova York! É como se todos os nossos sonhos tivessem sido DESPEDAÇADOS!", a Zoey choramingou, enxugando uma lágrima.

Elas passaram os 45 minutos seguintes desabafando, e eu, que sou uma amiga sensível e atenciosa, fiquei bem quietinha ouvindo.

Daí a professora veio e falou que já estava pronta para começar a avaliação e que nós seríamos o segundo grupo. Eu quase enfartei, porque nós ainda não tínhamos nem escolhido a música, muito menos feito a coreografia.

Fui correndo pegar um CD e o único que tinha sobrado era *O lago dos cisnes*. E, como eu vi a MacKenzie mexendo nele uns minutos antes, fiquei superdesconfiada. Então, a primeira coisa que fiz foi abrir a caixinha e dar uma olhada. Fiquei surpresa e aliviada ao ver que o CD ainda estava ali dentro. Eu não confiava nem um pouquinho nessa garota.

O grupo da MacKenzie foi o primeiro, e eu tenho que admitir que elas se saíram superbem. Mas não foi por causa do talento natural delas. Somadas, as três tinham tido aulas particulares de balé por, sei lá, 89 anos. Elas dançaram a "Dança da fada açucarada" e terminaram a coreografia assim:

Que bando de EXIBIDAS! Tipo, que bailarina de verdade terminaria uma coreografia abrindo espacate e fazendo XIS para a foto (ou seja, "sorrindo"), como se estivesse contente por ter acabado de tirar o aparelho dos dentes? E eu tipo: "Ei, amigas! Isso NÃO É a *Dança dos famosos*!" Mas eu disse isso dentro da minha cabeça, então só eu mesma escutei.

Nós éramos as próximas, e começou a me dar um frio na barriga. Não que eu estivesse nervosa, só odeio passar vergonha em público. A Chloe deve ter visto minha cara de pânico, porque cochichou: "Não fique nervosa! Só vai repetindo os meus movimentos. Eu tive três semanas de aula de balé quando estava na segunda série!" Eu disse: "Obrigada pela informação, Chloe. Agora estou me sentindo BEM melhor!" ☹

Então a Zoey cochichou: "O que fica atrás de nós e o que jaz à nossa frente têm muito pouca importância, comparado com o que há dentro de nós. Ralph Waldo Emerson". O que, obviamente, não tem NADA a ver com NADA!

Eu tive um mau pressentimento quanto à nossa coreografia, e nós nem havíamos começado. Até porque eu descobri que o nosso CD, na verdade, NÃO era de O lago dos cisnes. Estava escrito O lago dos cisnes na caixinha, mas no CD tinha outra coisa escrita. Quando li o que era, fiquei tipo:

Era *Thriller*, do Michael Jackson!

Então a professora arrancou o CD da minha mão, colocou no aparelho de som e disse para nos posicionarmos.

Eu ia explicar para ela que estávamos com um probleminha com a música, mas me distraí quando o grupinho da MacKenzie começou a dar gritinhos e a se abraçar. Elas tinham tirado nota 10. Mas não é que eu estivesse com inveja nem nada. Porque, né, isso seria superimaturo.

Enfim, quando a nossa música começou, a Chloe deve ter esquecido totalmente que nós deveríamos apresentar uma coreografia de balé, porque começou a fazer uns passos de dança cheios de suingue, como se fosse um daqueles zumbis do clipe de "Thriller".

Quando me dei conta, a Zoey também estava começando a agir feito um zumbi, então eu não tive escolha e fiz a mesma coisa. Até porque percebi que a professora provavelmente tiraria pontos se a Chloe e a Zoey estivessem andando por aí feito mortas-vivas e eu ignorasse tudo e ficasse fazendo pliés.

Tá certo. Eu gosto muito, muito das duas. Mas, enquanto dançava com elas, eu não conseguia parar de pensar: *Eu sou o quê? Um imã para gente DOIDA?!*

Fiz força para lembrar que a culpa era da MacKenzie, e não DELAS.

EU, A CHLOE E A ZOEY NO BALÉ DOS ZUMBIS!

Na verdade, fiquei surpresa ao ver que a Chloe e a Zoey dançavam bem. Parece que a nossa professora ficou muito impressionada também, porque, quando terminamos, ela ficou nos olhando de queixo caído e começou a bater na mesa com a caneta. Daí pediu para falarmos com ela depois da aula. Nós estávamos supernervosas, porque não sabíamos o que esperar. A Chloe e a Zoey acharam que talvez ela fosse nos convidar para participar do grupo de dança do colégio, já que ela era assistente da coordenadora. Eu estava cruzando os dedos para que fosse isso, porque entrar para a equipe de dança significava, automaticamente, entrar para a panelinha das GDPs.

Nossa professora sorriu e disse: "Meninas, se eu estivesse ensinando dança contemporânea, vocês tirariam 10!"

Depois de ouvir isso, eu tive certeza de que ela nos daria uma nota boa, mesmo a gente tendo inventado a coreografia na hora e dançado a música errada.

Daí a professora parou de sorrir.

"Vocês três deveriam ter dançado balé clássico, mas não chegaram nem perto disso. A melhor nota que posso dar a vocês é 0. Eu sinto muito."

Nós ficamos tipo: AH. NÃO. ELA. NÃO. VAI. FAZER. ISSO. COM. A. GENTE!!
Eu, a Chloe e a Zoey fomos ESMAGADAS! (LITERALMENTE)

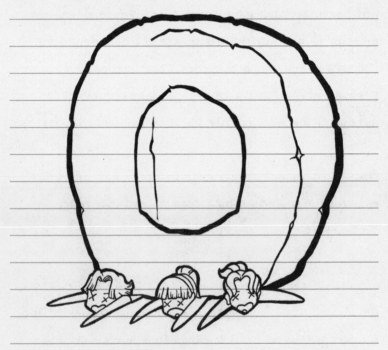

Então gritei para a professora: "Você tá LOUCA?! Como é que você vai nos dar 0? Você tem ideia de como foi difícil fazer esses passos de dança?

160

Com certeza eles eram MUITO mais difíceis do que pareciam! Quero ver VOCÊ fazer o moonwalk como um zumbi, minha filha!"

Mas isso tudo eu disse dentro da minha cabeça, então só eu mesma escutei.

E sabe o que mais? *Depois disso,* a professora ainda teve a cara de pau de nos dizer: "Para o chuveiro!" Tipo, o que ir para o chuveiro tem a ver com balé clássico?! ABSOLUTAMENTE NADA!!

Eu fiquei meio irritada com a Chloe e a Zoey porque, se elas NÃO tivessem perdido tempo se lamentando por causa da tatuagem e da Semana Nacional da Biblioteca, nós poderíamos ter feito uma coreografia decente para a música certa e ter tirado pelo menos 6. Mas NÃÃÃÃÃÃO!

Daí, no almoço, as coisas foram de mal a pior. A Chloe e a Zoey

PIRARAM COMPLETAMENTE!

Elas inventaram todo um esquema para fugir de casa e viver escondidas em túneis subterrâneos embaixo da Biblioteca Pública de Nova York!

Mas a parte mais absurda é que elas estavam planejando fugir na próxima sexta, e daí ficar sete meses "só curtindo", até que a Semana Nacional da Biblioteca começasse, em abril.

Elas se deram conta de que, chegando cedo, poderiam entrar DE GRAÇA e ser as PRIMEIRAS na fila para a confraternização com os autores.

A Chloe disse que morar na biblioteca seria uma "experiência revigorante", porque elas poderiam ler todos os livros que quisessem, 24 horas por dia, sem ter de ficar reorganizando-os.

E a Zoey disse que elas viveriam de Pepsi Diet e Doritos, que pretendiam roubar da cantina da biblioteca durante a noite!

NÃO CONSIGO acreditar que a Chloe e a Zoey fariam uma coisa tão maluca, perigosa e ilegal.

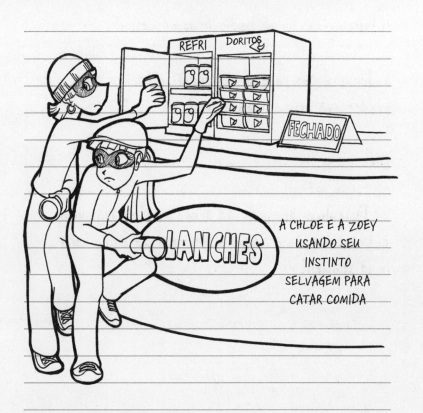

A CHLOE E A ZOEY USANDO SEU INSTINTO SELVAGEM PARA CATAR COMIDA

E eu pretendo fazer tudo que puder para IMPEDI-LAS!

POR QUÊ?!

Porque a Chloe e a Zoey são as minhas MELHORES amigas nesse colégio!

E as minhas ÚNICAS amigas nesse colégio! Mas isso não vem ao caso.

Infelizmente, eu só tenho duas opções:

1. Dedurá-las para os pais delas e correr o risco de perder sua amizade para sempre.

OU

2. Descobrir um jeito de arranjar para elas umas tatuagens para a Semana Nacional da Biblioteca imediatamente!!

QUARTA-FEIRA, 25 DE SETEMBRO

Mal consegui dormir essa noite! Tive pesadelos de como seria a vida da Chloe e da Zoey nos túneis secretos embaixo da Biblioteca Pública de Nova York.

Em um dos sonhos que eu tive, elas estavam jantando com alguns vizinhos.

E, no mais assustador de todos, eu me casava com o Brandon Roberts, e a Chloe e a Zoey eram minhas madrinhas. Mas elas levaram alguns penetras para o meu casamento ☹!

Eu acordei EM PÂNICO e gritei muito até perceber que tinha sido só um pesadelo!

QUINTA-FEIRA, 26 DE SETEMBRO

Hoje, durante o café da manhã, a minha querida irmãzinha Brianna me deixou superirritada.

Eu estava sentada bem tranquila, comendo meu Sucrilhos, lendo a parte de trás da caixa e tentando descobrir o que eu faria para resolver a questão da Chloe e da Zoey.

Elas tinham planejado fugir em menos de 24 horas.

A Brianna estava comendo Fruit Loops e desenhando uma carinha na mão com uma caneta BIC. Ela disse que ia chamar a carinha de "Bicuda", porque tinha "nascido de uma BIC".

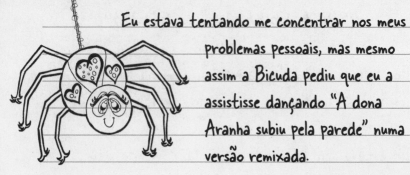

Eu estava tentando me concentrar nos meus problemas pessoais, mas mesmo assim a Bicuda pediu que eu a assistisse dançando "A dona Aranha subiu pela parede" numa versão remixada.

A dona Aranha tentou subir pela torneira, mas veio um jato forte e a derrubou, bou, bou, ou, ou.

Aquilo acabou com a minha paciência, porque eu nunca curti muito showzinhos de fantoche.

Enfim, pedi para a Brianna e para a Bicuda pararem de encher o meu saco, porque eu estava num

TREMENDO MAU HUMOR.

E o fato de que a Bicuda cantando parecia uma baleia jubarte em trabalho de parto não ajudou muito.

Ela deve ter ficado muito ofendida com a minha crítica imparcial sobre sua técnica vocal, porque parou de cantar e deu um soco no meu braço.

Então agarrei a Bicuda e tentei afogá-la na minha tigela de cereal.

Tipo: "Vai um leitinho?!"

A Brianna começou a gritar: "Para! A Bicuda não sabe nadar! Deixa ela em paz! Você está destruindo o rosto dela!"

Mas eu não dei mole. Quer dizer, pelo menos não antes de a minha mãe entrar na cozinha.

"Por que diabos você está prendendo a mão da sua irmã num pote de cereal?! DEIXE A BRIANNA EM PAZ, AGORA!!"

Então eu soltei a Bicuda, já que não tinha escolha.

A Brianna mostrou a língua para mim. "A Bicuda está dizendo que não vai convidar você para a festa de aniversário dela! Nã—nã—ni—nã—não!!"

Então eu mostrei a língua para ela e disse: "Eu já deixei de ser convidada para outra festa de aniversário mesmo. ENTÃO AZAR!" Por essa eu tenho que agradecer a MacKenzie.

Enfim, acho que ensinei uma boa lição para a Bicuda. Aposto que ela vai pensar duas vezes antes de interromper meu café da manhã de novo (RISADA DIABÓLICA).

Como meu cereal tinha sido contaminado pelos germes da Bicuda, joguei tudo na pia e voltei para o quarto.

Sentei na cama e fiquei olhando para a parede, enquanto milhões de coisas passavam pela minha cabeça.

Tenho que admitir: a questão da Chloe e da Zoey parecia um caso perdido, e não tinha nada que eu pudesse fazer para mudar isso ☹.

Para piorar tudo, a Bicuda ainda estava cantando desafinada lá na cozinha. Achei que ia começar a sair sangue dos meus ouvidos. Pensei até em pegar minha caneta favorita – uma rosa com tinta à base de água e atóxica – e desenhar um zíper gigante na boca dela para ver se ela calava a boca. Mas, se fizesse isso, eu tenho certeza de que a minha mãe ia BERRAR comigo de novo.

Eu basicamente só uso essa caneta para escrever no meu diário e para me trazer sorte. Mas, nos últimos tempos, a parte da sorte não está funcionando muito bem.

MINHA
CANETA
DA
SORTE

Eu estava girando a caneta nos dedos quando, de repente, tive a ideia MAIS MALUCA! Fiquei tipo: AI MEU DEUS! Pode ser que dê certo! Escrevi voando dois bilhetes e depois fui correndo para o colégio, quinze minutos mais cedo, para colá-los no armário da Chloe e da Zoey.

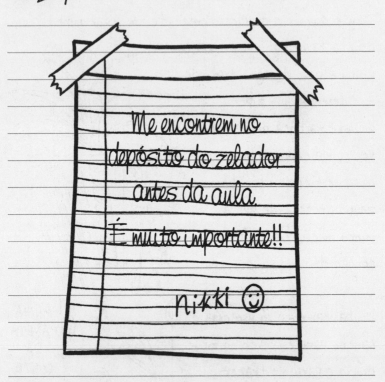

Esperei no depósito do zelador por cinco longos minutos, que pareciam não ter fim, e estava começando a achar que talvez elas não aparecessem. Mas elas finalmente chegaram.

"Espero que você não tenha chamado a gente aqui para tentar nos fazer mudar de ideia quanto à fuga", disse a Chloe, superséria.

"É! Isso é uma coisa que a gente vai ter que fazer de qualquer jeito", disse a Zoey, olhando para o chão.

Tudo ficou tão quieto e triste que eu achei que ia começar a chorar.

"Ahhh... Eu pedi para vocês virem aqui para falar do presente especial que eu queria dar para vocês na semana que vem. Mas já que vocês vão embora amanhã..."

Óbvio que a Zoey e a Chloe ficaram supercuriosas e começaram a implorar para que eu dissesse o que era.

"Bem, vocês podem não saber, mas até que eu sou uma artista bem razoável. Não que eu esteja me exibindo. E, como vocês são as minhas melhores amigas, decidi fazer uma tatuagem especial para cada uma! Daquelas que saem depois de um tempo. Em homenagem à Semana Nacional da Biblioteca!"

Num primeiro momento, as duas só olharam para mim, como se não desse para acreditar no que eu estava falando.

Então começaram a pular e a gritar e me abraçaram.

EU, A CHLOE E A ZOEY NUM ABRAÇO COLETIVO!

"Só decidam o que vocês querem", eu disse, "e eu penso em alguma coisa no fim de semana e desenho na segunda durante o almoço. Mas vocês têm que me prometer uma coisa..."

"Qualquer coisa!!", concordou a Zoey. "Deixe-me adivinhar! Nós temos que desistir de fugir de casa e viver na Biblioteca de Nova York?"

"Beleza, então está oficialmente CANCELADO!",
completou a Chloe, e fez um sinal com as mãos de que
estava tudo terminado.

"Na verdade, não era bem isso", eu disse, escondendo o
meu sorriso e tentando parecer séria. "Quero que vocês
duas me prometam que não vão levar RATOS ao meu
casamento!"

"ÃHN?!" Elas olharam para mim como se eu fosse louca.

"Deixa pra lá!", eu ri. "É uma longa história."

SEXTA-FEIRA, 27 DE SETEMBRO

Antes de a aula de biologia começar, reparei que o Brandon estava meio que olhando para mim, mas eu não tinha certeza se não era só na minha imaginação. Ultimamente, parecia que, sempre que eu olhava para ELE, ele estava olhando para MIM.

Mas daí nós dois desviávamos o olhar e fingíamos que NÃO ESTÁVAMOS realmente olhando um para o outro.

Bem, mas hoje ele sorriu para mim e disse: "Então, que tipo de divisão celular você prefere estudar? Meiose ou mitose?"

Sorri de volta e meio que dei de ombros, porque na verdade eu ODIAVA as duas coisas IGUALMENTE. Eu tinha medo que qualquer coisa que eu dissesse me fizesse parecer AINDA MAIS idiota do que ele já achava que eu era.

Mas o principal motivo pelo qual eu não conseguia falar com o Brandon era que eu sofria de um caso gravíssimo de SMR, ou Síndrome da Montanha-Russa. Estudos recentes provaram que essa doença atinge principalmente garotas com idade entre 8 e 16 anos.

Os sintomas são difíceis de descrever, mas, sempre que o Brandon fala comigo, tenho no estômago a sensação de que estou descendo uns trezentos metros a 120 quilômetros por hora. Achar que isso não passa de "simples nervosismo" é um erro comum e perigoso de diagnóstico.

De repente, sem qualquer aviso, me dá uma vontade de jogar as mãos para o céu (como se eu não me importasse com nada) e gritar...

"ÊÊÊÊÊÊÊÊÊ!"

← EU NA MONTANHA-RUSSA DO AMOR!! Eu AMO muito ODIAR essa sensação ☺!!

Então meu dia ficou ainda MELHOR! Enquanto eu estava trabalhando na biblioteca, o Brandon foi lá para devolver um livro chamado *A fotografia e você.* Eu estava lá sentada, rabiscando uns esboços de tatuagem para a Chloe e a Zoey, quando ele se debruçou no balcão e olhou para o meu caderno.

"Isso é fantástico! Eu não sabia que você era uma artista!"

Olhei ao redor para ver com quem ele estava falando. E surtei quando percebi que ele estava falando COMIGO! Eu mal conseguia RESPIRAR.

"Obrigada, mas não é grande coisa. Eu faço cursos de arte há tipo uns mil anos. E no último mês eu sujei uma das minhas roupas favoritas com tinta, nem dá para usar mais!!", tagarelei feito uma idiota.

"Mas uma coisa é certa, você é supertalentosa!"

Os cabelos do Brandon estavam caindo sobre os olhos. Ele sorriu e chegou mais perto ainda para olhar meus rascunhos. Eu achei que ia MORRER! Ele cheirava a amaciante de roupa, desodorante e... chiclete de morango?!

Eu fiquei supervermelha, e era impossível continuar desenhando com ele me olhando daquele jeito. Comecei a sentir o lance da montanha-russa de novo... ÊÊÊÊÊÊÊÊÊ!

De repente, os olhos do Brandon pareceram piscar de empolgação.

"Ei! Você vai participar do concurso de artes? Eu vou cobrir para o jornal."

"Sim, estou pensando. Mas todo mundo está dizendo que as roupas que a MacKenzie desenha vão ganhar este ano. Então sei lá..."

"A MacKenzie?! Você está de brincadeira? Você tem mais talento na unha do que ela tem no corpo inteiro. Falando sério! Você sabe, né?"

NÃO DAVA para acreditar que o Brandon estava dizendo aquilo! Era tão grosseiro. Tão maldosamente engraçado. Tão... VERDADE!

Nós dois rimos muito. Não sabia que ele tinha um senso de humor tão aguçado.

Pouco depois, a Chloe e a Zoey chegaram no balcão aos trancos e barrancos, cada uma com uma pilha de livros para ser guardados.

Quando elas viram a gente, ficaram de boca aberta.

Elas olharam para mim, depois para o Brandon, para mim de novo e mais uma vez para o Brandon. Daí para mim de novo. Daí para o Brandon. Daí para mim. Daí para o Brandon de novo.

Isso durou, tipo, uma ETERNIDADE!

Elas ficaram nos observando como se fôssemos algum tipo novo de animal em exibição no zoológico ou coisa assim.

Foi TÃO constrangedor!

O sorriso do Brandon ficou meio amarelo, mas fora isso ele nem ligou muito e foi supertranquilo.

"DÁ SÓ UMA OLHADA NAQUELES DOIS. DEVE SER ÉPOCA DE ACASALAMENTO OU ALGO ASSIM..."

"Oi, Chloe! Oi, Zoey!", ele disse.

Mas elas estavam tão surpresas que nem responderam.

"Bom, tenho que voltar para a aula. Vejo você depois, Nikki." Então ele passou pela porta e desapareceu no corredor.

A Chloe e a Zoey fizeram o maior caso porque o Brandon tinha falado comigo daquele jeito e começaram a me encher para que eu admitisse que estava a fim dele.

Assim que as obriguei a jurar de pés juntos que não iam contar para ninguém, disse que o Brandon tinha me ajudado depois que a Jessica me sacaneou no refeitório umas semanas antes.

Então eu peguei minha mochila, abri o bolsinho fofo na parte da frente e mostrei para elas O Guardanapo.

No começo elas só olharam admiradas. Mas logo começaram a me provocar e a dar risadinhas, como se fossem duas crianças. "Dois namoradinhos, só falta dar beijinho!"

Mandei as duas calarem a boca antes que alguém as ouvisse e espalhasse a história pelo colégio.

A Chloe insistiu que eu deveria ficar com O Guardanapo pelo resto da vida, porque sempre havia a chance de eu me encontrar por acaso com o Brandon em alguma ilha romântica e exótica daqui a uns vinte anos. Ela disse que isso poderia acontecer, como naquelas comédias românticas que passam no cinema.

O GUARDANAPO DA MINHA MELHOR AMIGA
(SINTONIA DA PAIXÃO)
Dirigido por Chloe Christina Garcia

BRANDON:
Eu não pude deixar de reparar em você sentada no outro canto da sala, fui atraído pela sua beleza e inteligência! Parece até que já nos encontramos antes. Talvez em outro lugar... em outra época... em outra vida...!

EU:
Ai! A época das alergias chegou! Por favor! Use meu guardanapo preferido do meu passado misterioso. E faça com ele... o que for preciso!!

EU:
Que espirro poderoso você tem! Ele foi devidamente preso neste delicado guardanapo de amores esquecidos... Agora é apenas um pedaço de papel descartável, encharcado de sonhos perdidos.

BRANDON:
Ei! Será que meus olhos me enganam? Eu reconheceria o NOSSO guardanapo até mesmo nas mais escuras profundezas! Estou sendo inundado por paixão e alegria!

BRANDON:
É você mesmo? Minha amada Nikki! Enfim, encontrei o meu VERDADEIRO AMOR! Você aceita se CASAR COMIGO?!

FIM

Eu disse para a Chloe que a história era muito meiga e romântica. Mas, se o guardanapo ficasse mesmo encharcado de ranho e o Brandon me pedisse em casamento daquele jeito, a MINHA história provavelmente terminaria de um jeito diferente.

EU:
Nossa, Brandon, acho que devemos ir um pouco mais devagar. Em primeiro lugar, vamos nos livrar desse guardanapo cheio de ranho... ECA!!! Em segundo lugar, que tal uma pizza e um cineminha...?

FIM

A Zoey disse que não me culpava por reescrever o final feliz que a Chloe tinha inventado, porque ranho e bactérias transmitidas pelo ar eram as duas formas mais comuns de transmitir germes para outras pessoas.

Mas a Chloe reclamou que nós duas tínhamos entendido TUDO errado. O guardanapo, com germes ou não, devia ser adorado porque era uma prova do amor do Brandon. E, depois de ler *Crepúsculo*, ela aprendeu que amores proibidos, obsessão e sacrifício podiam ser coisas muito complicadas. Tipo ranho.

Eu tenho que admitir que a Chloe tinha razão.

Então a Zoey disse que eu devia me lembrar sempre que homens são de Marte e mulheres são de Vênus, porque eles pensam e se comunicam de maneiras superdiferentes, de acordo com o livro sobre relacionamentos que ela estava lendo. Fiquei muito surpresa ao ouvir isso, porque eu achava que a Terra era o único planeta com vida inteligente.

Estou muito feliz com o fato de a Chloe e a Zoey saberem tantas coisas sobre garotos, amor e essas coisas.

Porque eu não sei BULHUFAS.

DÃ!!

SÁBADO, 28 DE SETEMBRO

Este vai ser o texto mais LONGO da HISTÓRIA do meu diário! Estou morrendo de dor de cabeça, e é tudo culpa da Brianna. Por que, por que, por que eu não podia ser filha ÚNICA?!

Ok. Aconteceu o seguinte: minha mãe e a Brianna iam ver um filme no cinema hoje à tarde. Mas minha mãe precisou ir ao shopping para comprar um presente para o chá de bebê que ela tinha mais tarde.

Então ela me ofereceu dez dólares para levar a Brianna ao cinema no lugar dela. Como eu estou sem grana, acabei concordando. Achei que, na pior das hipóteses, eu dormiria o filme inteiro e ganharia uma graninha por um cochilo de noventa minutos.

O filme se chamava *A princesa de pirlimpimpim salva a ilha dos bebês unicórnios!* Parte 3. Devia ter umas quatrocentas garotinhas de voz esganiçada lá, e metade estava fantasiada de princesa ou unicórnio.

Eu podia ter cobrado cinquenta dólares da minha mãe para levar a Brianna, porque o filme era tão meloso que eu quase vomitei.

Mas a Brianna achou o filme superassustador, porque tinha uma fada. E ela morre de medo que a fada do dente roube todos os dentes dela para fazer dentaduras para os velhinhos. Acho que poderíamos dizer que ela sofre de "fadafobia".

Enfim, a Brianna praticamente me ENLOUQUECEU, porque, toda vez que a fada entrava em cena, ela ficava superassustada, agarrava o meu braço e derrubava a minha pipoca.

Devo ter derrubado uns três pacotes inteiros na senhorinha que estava sentada ao meu lado.

Teve uma hora que parecia que a senhorinha ia acabar me dando um soco, então achei mais seguro comer M&Ms.

Fiquei MUITO feliz quando aquele filme imbecil finalmente acabou.

Eu e a Brianna estávamos esperando a minha mãe na entrada principal. Mas, quando vi meu pai chegando com a Kombi da Maxwell Exterminadora de Insetos, tive um péssimo pressentimento. Se bem que aquela barata bizarra no teto da Kombi causava um péssimo pressentimento na maioria das pessoas.

Por sinal, o nome da barata é Max (sugestão da Brianna, "porque, se eu tivesse um cachorrinho, ele chamaria Max").

E eu tipo: "AH, NÃO! Se alguém do colégio me vir entrando na Kombi do meu pai, será o fim da minha vida". Procurei por adolescentes do ensino médio no meio da multidão e, por sorte, quase só havia crianças entre 3 e 6 anos. "Oi, garotas, subam! A mãe de vocês ainda está fazendo compras. Eu recebi um chamado de emergência, então vocês podem vir comigo para me fazer companhia", meu pai disse, piscando um olho.

E eu tipo: "Hum... valeu, pai, mas eu tenho uma quantidade absurda de tarefa para fazer. Então será que você não pode me deixar em casa antes? POR FAVOR!" Eu estava fazendo todo o possível para permanecer calma.

Meu pai olhou para o relógio e franziu a sobrancelha. "Desculpe, mas não tenho tempo para passar em casa. Essa cliente é meio histérica e concordou em pagar a taxa de emergência. Ela vai dar uma festa enorme hoje à noite e disse que a casa está cheia de insetos. Centenas apareceram do nada hoje de manhã."

"ECA!!", Brianna disse, torcendo o nariz.

"Eu acho que deve ser uma infestação de besouros", meu pai continuou. "Espero que a tal da festa não seja aquele chá de bebê que a sua mãe tem hoje à noite."

Sentei no banco da frente superirritada e tentei me abaixar o suficiente para que ninguém conseguisse me ver.

Sempre que parávamos num sinal vermelho, um monte de gente apontava e começava a rir. Não de mim, mas da barata.

Por algum motivo, a Brianna achou que todo esse pessoal tirando sarro estava só tentando ser amigável. Então ela começou a sorrir e a mandar beijinhos, como se tivesse acabado de ser eleita Miss Universo.

E meu pai estava mais do que acostumado a tudo isso. Ele só ignorava todo mundo e cantarolava junto com o CD de Os embalos de sábado à noite.

Ainda bem que eu encontrei um saco de guloseimas vazio embaixo do banco.

Apesar de estar escrito "ATENÇÃO: PARA EVITAR LESÕES GRAVES OU MORTE, FAVOR DEIXAR ESTE SACO PLÁSTICO LONGE DO ALCANCE DE CRIANÇAS!", fiz dois furos no saco e o coloquei na cabeça.

Em primeiro lugar, eu NÃO ERA criança.

E, além disso, eu preferia sofrer uma morte lenta e dolorida por asfixia a ser vista andando no "baratomóvel"!

Tenho que admitir, nós devíamos parecer
UM SHOW DE HORRORES SOBRE RODAS.

Era TÃO constrangedor!

Fiquei pensando em quanto me machucaria se pulasse de um veículo em movimento, a sessenta quilômetros por hora.

193

Supondo que eu sobrevivesse, pelo menos poderia ir a pé para casa e evitaria a carona humilhante na Kombi do meu pai.

Uns dez minutos depois, entramos em uma estrada que nos levou até uma casa enorme. *Uau! Bela casa*, eu pensei. *Pena que está cheia de insetos!*

A Brianna olhou para a casa admirada. "Papai, posso entrar com você? Por favooooor!"

"Desculpe, princesinha, mas você tem que esperar aqui na Kombi com a sua irmã e cuidar para que ninguém roube o Max, tá bom?"

Tipo, QUEM em sã consciência ia querer roubar o MAX?!

Dois insetos pretos brilhantes, cada um com uns cinco centímetros, pousaram na nossa janela.

"É! São besouros mesmo", meu pai disse, olhando para eles com cuidado. "Horríveis, porém inofensivos. Acho que vou levar uns vinte minutos para dedetizar todos os cômodos. Mas vou tentar fazer o mais rápido que puder. Se precisarem de alguma coisa, garotas, vou estar logo ali."

Ele tirou o equipamento de dentro da Kombi e o levou até a entrada da casa. Antes que pudesse tocar a campainha, uma senhora de meia-idade superagitada, vestida com roupas de marca, abriu a porta e o puxou para dentro.

A Brianna começou a me encher. "Quero ir lá, junto com o PAPAI!"

"NÃO! Você tem que ficar aqui. E cuidar do Max! Lembra?", falei severamente.

Ela torceu o nariz para mim.

"VOCÊ vai cuidar do Max! Eu preciso ir ao banheiro!"

"Brianna, o papai já vai voltar. Será que você não consegue se segurar só mais um pouquinho?"

"NÃO! Preciso ir AGOOOOORA!"

E eu tipo: "Que beleza! Todo esse drama por míseros dez dólares".

"Tá bom", eu disse, finalmente desistindo. "Mas, quando nós entrarmos, não toque em nada! Só use o banheiro e saia direto, entendeu?"

"Eu também quero dar um oi para o papai!"

"Não! Você vai usar o banheiro e nós vamos voltar para a Kombi e esperar..."

Antes que eu pudesse terminar a frase, a Brianna abriu a porta e correu até a entrada da casa.

Quando eu a alcancei, ela já tinha tocado a campainha. "Ding-dong! Ding-dong! Ding-dong!"

A senhora agitada abriu a porta de novo e pareceu surpresa ao nos ver.

"Ãã... Desculpe incomodá-la", eu disse com dificuldade. "Mas nós estávamos esperando pelo nosso pai ali na Kombi e..."

"Ei, senhora! Eu preciso fazer PIPIIIIII!", a Brianna interrompeu.

Então ela começou a se contorcer e a fazer cara feia para garantir o efeito dramático.

A senhora olhou para a Brianna, depois para mim, depois para a Brianna de novo. Ela abriu um sorriso com seus lábios finos e vermelhos.

"Ah! Então o pai de vocês é o nosso... exterminador. Claro, querida, o banheiro é por aqui. Vem comigo."

A parte de dentro da casa parecia ter saído de uma das revistas chiques da mamãe. Nós fomos levadas por um corredor até um lavabo, quando a senhora repentinamente parou de caminhar.

"Ah, esperem! Tem veneno de inseto em todos os banheiros do primeiro andar. Vocês vão ter que usar lá em cima. Todos os quartos têm banheiro. Eu levaria vocês até lá, mas o pessoal do buffet ficou de me ligar para confirmar o número de convidados."

O telefone tocou, e a senhora saiu correndo e nos deixou ali. A Brianna sorriu e disparou escada acima na minha frente.

Quando ela entrou no primeiro quarto à direita, gritou admirada: "Aaah! Que lindo!"

O quarto era todo decorado em tons de rosa, e o carpete era tão macio que dava para dormir nele. O laptop e a TV de plasma eram de dar inveja. Meu quarto inteiro caberia dentro do closet. Mas achei meio sem sal para o meu gosto. Não que eu estivesse com inveja nem nada. Porque, né, isso seria superimaturo!

EU E A BRIANNA
ADMIRANDO O QUARTO FABULOSO!!
(QUE, ALIÁS, DEMOREI MIL ANOS PARA DESENHAR!!)

"Ei! Posso me jogar em cima desta cama incrível?!", a Brianna perguntou.

"NÃO", respondi. "Desce já daí!"

Precisei reunir toda a minha força de vontade para não sair bisbilhotando por lá. Fiquei imaginando qual era o colégio da dona do quarto e se teríamos alguma chance de nos tornar amigas. Aposto que ela tinha uma vida perfeita. Diferente da minha. A Brianna entrou no banheiro da suíte e trancou a porta. "Uau, vou pedir um banheiro igual a este de aniversário!"

Pouco depois eu ouvi o barulho da descarga. Mas três minutos se passaram e ela ainda não havia saído.

"Brianna, vamos logo!!", gritei.

"Espera, eu estou lavando muito bem as minhas mãos com este sabonete de morango, e depois eu vou passar este desodorante com cheirinho delicioso de framboesa."

"Sai já daí. Nós temos que voltar pra Kombi agora."

"Espera! Eu tô quase pronta!"

De repente eu ouvi uma voz asquerosamente familiar.

"Mas, manhê! Eu NÃO POSSO fazer a minha festa com esses INSETOS horríveis espalhados pela casa! Nós devíamos ter feito no clube, como eu queria. É tudo culpa SUA!"

Quase fiz xixi nas calças. Era a MACKENZIE ☹!

Fiquei tipo: MEU DEUS! MEU DEUS! MEU DEUS! Hoje era a festa para a qual eu não havia sido convidada.

Era tipo o pesadelo mais horripilante que eu consigo imaginar. Eu estava acuada no quarto da MacKenzie, minha irmã estava trancada no banheiro da MacKenzie e meu pai estava dedetizando a casa da MacKenzie. E como se isso *tudo* não fosse horrível o suficiente, a nossa Kombi com uma barata nojenta no teto estava estacionada no quintal da MacKenzie com o MEU sobrenome estampado nela (na Kombi, não na barata).

Eu queria cavar um buraco naquele carpete rosa chiquérrimo, me enfiar dentro dele e MORRER! Comecei a esmurrar a porta.

EU (TENDO UM COLAPSO NERVOSO!)

"BRIANNA! ANDA LOGO! ABRE A PORTA!"

"Estou ocupada. Vai embora!"

"Você já ficou aí tempo suficiente. Agora, abre a porta!"

"Diga 'por favor'."

"Por favor."

"Agora diga 'por favor, minha irmãzinha querida'."

"Tá bom. Abre a porta, por favor, minha irmãzinha querida..."

"NÃO!! Eu ainda NÃO estou pronta!"

"Mããããe! Essa festa vai ser um DESASTRE! Minha reputação vai ser jogada no lixo! Nós temos que cancelar tudo."

Dava para ouvir que os gritos da MacKenzie estavam ficando cada vez mais altos. Ela estava subindo as escadas!

"Brianna. Abre a porta rápido! POR FAVOR! É uma emergência!", sussurrei pela porta.

"Espera! Estou passando o desodorante com cheirinho delicioso de framboesa. Hum... qual é a emergência?"

Agora a MacKenzie já estava no corredor.

"Mãe, vou ligar para a Jessica. Ela não vai acreditar que isso está acontecendo comigo..."

Eu tinha exatamente três segundos para convencer a Brianna a me deixar entrar.

"Brianna! É a FADA DO DENTE! Ela está chegando, e nós temos que fugir daqui!! AGORA!!"

A fechadura abriu, e a Brianna abriu uma frestinha na porta.

Ela parecia estar com ainda mais medo do que no filme A princesa de pirlimpimpim.

"V-você disse FA-FA-FADA DO DENTE?!"

"Sim! Vamos, temos que NOS ESCONDER! Rápido!"

A Brianna estava em pânico e começou a choramingar.

"Onde é que ela está? Tô com medo! Quero o papaaaiiiii!"

"Vamos nos esconder atrás da cortina da banheira. Se ficarmos bem quietinhas, ela nunca vai nos achar."

A Brianna calou a boca na hora, mas os olhos dela pareciam duas laranjas, de tão grandes.

Eu até fiquei com um pouco de pena.

Nós entramos na banheira e nos amontoamos atrás da cortina.

Dava para ouvir a MacKenzie caminhando pelo quarto e gritando no celular.

"Jessi, não tenho como dar essa festa agora! Nossa casa está infestada de insetos. Quê?... Como é que eu vou saber que insetos? Eles são enormes... pretos... hã... umas baratas ou coisa do tipo. Tem um cara dedetizando, mas agora a casa tá fedendo! FEDENDO, Jessi! Como é que eu vou dar uma festa com a casa FEDENDO!"

"Nikki, tô com medo. Quero o papaaaai! AGORA!"

"Eu IMPLOREI para a minha mãe me deixar fazer essa festa no clube! A mãe da Lindsey deixou a festa *dela* ser no clube. Mas NÃÃÃÃO. Ultimamente, convencer a minha mãe de qualquer coisa é tão difícil quanto arrancar UM DENTE!"

Por que a MacKenzie tinha que dizer a palavra com D?

A Brianna surtou e começou a sair da banheira.

"AH, NÃO! Você ouviu! Ela disse que vai arrancar meu DENTE! Quero ir pra caaaaasa!"

205

"Brianna! Espera...!" Eu a segurei com uma chave de pescoço. Finalmente, ela parou de se debater e ficou toda mole.

Então a malcriada me MORDEU!! FORTE! Soltei o pescoço dela e uivei de dor como um animal ferido. "AAAIIIII!" Mas gritei dentro da minha cabeça, então só eu mesma escutei.

A Brianna saltou para fora da banheira, abriu a porta do banheiro e sumiu!

Fiquei paralisada e prendi a respiração. Não dava para acreditar que aquilo estava acontecendo comigo.

Então eu pensei que talvez fosse só um pesadelo. Tipo aqueles sonhos estranhos que tive no começo da semana com a Chloe e a Zoey. Se eu conseguisse acordar, TUDO iria desaparecer.

Então fechei os olhos, me belisquei com força e tentei acordar.

Mas, quando abri os olhos, eu ainda estava na banheira da MacKenzie, com a marca (agora azul e preta) dos dentes da Brianna no meu braço, perto de uma marca de beliscão vermelha e latejante.

Eu queria TANTO estar MORTA!

De repente, outra ideia me passou pela cabeça. Se eu abrisse o chuveiro da MacKenzie no frio e ficasse ali embaixo por cerca de uma hora, podia ser que eu morresse de pneumonia. Mas até isso podia levar alguns dias, e eu precisava estar MORTA NESTE INSTANTE!

"MEU DEUS! Jessi, tem uma CRIANÇA no meu quarto!... Como eu vou saber? Ela apareceu do nada. Já disse para a Amanda um milhão de vezes que meu quarto é proibido para ela e suas amiguinhas insuportáveis. Espera um pouco..."

"MÃE...!! A Amanda e as amigas dela estão brincando no meu quarto de novo! Por favor, será que dá para você fazer alguma coisa...?!"

"Oi, Jessi, voltei. Se elas tocarem na minha maquiagem de novo, eu juro que estrangulo..."

"Não ouse tocar em mim sua, sua... MALDITA fada do dente!", a Brianna gritou a plenos pulmões.

De repente, tudo ficou branco. Tive certeza de que estava prestes a desmaiar.

"Só um minuto, Je..."

"QUEM disse para você que eu sou a fada do dente? O QUE você está fazendo no meu quarto? E CADÊ a AMANDA?!!"

"Você não vai levar os meus dentes! NUNCA!", a Brianna gritou bravamente.

"MÃE!! AMANDA!! Só um minuto, Je. Tenho que me livrar desta pirralha. Depois vou MATAR a Amanda. Tá, sai do meu quarto, por aqui..."

"PARA! Me solta! Eu AMO os meus dentes!"

Houve uma pancada forte, e a MacKenzie deu um berro.

"MÃE! Acabei de ser atacada por um demônio! MEU DEUS! Acho que me machuquei de verdade! Não vou poder

208

vestir meu sapato Prada novo com um machucado enorme na perna!"

"Você ainda tá aí, Jessi? Não posso dar a minha festa deste jeito. Tô com um machucado do tamanho de uma panqueca. NÃO!... Não fui machucada por uma panqueca! Eu disse que... Só um minuto...!"

Dava para ouvir a Mackenzie mancando escada abaixo como se fosse um pirata de uma perna só. Tec-tec, tec--tec, tec-tec.

"MÃE! Na semana passada, a Amanda e as amigas dela grudaram chiclete no meu cabelo e usaram os meus batons! Agora uma delas acabou de..."

Quando os berros da MacKenzie pareciam estar a uma distância segura, pulei para fora da banheira, agarrei a Brianna e a joguei sobre os ombros como se fosse um saco de batatas.

Sem nem olhar para trás, desci correndo as escadas, passei voando pelo corredor, pela entrada da casa e pela porta da frente.

Botei o traseiro dela no banco de trás da Kombi e fechei a porta.

Meu pai estava na frente do porta-malas, guardando o equipamento.

"Ah, então as minhas garotinhas estão aí! Sincronia perfeita! Já terminei."

Enquanto meu pai ligava a Kombi e saía dali, fiquei olhando para a casa, meio que achando que a

MacKenzie sairia porta afora esbravejando que a Brianna deveria ser presa por fazer um machucado que a impediria de usar os sapatos Prada novos em sua festa de aniversário. Por incrível que pareça, a Brianna estava bem tranquila no banco de trás, e até parecia contente.

"Pai, você não sabe o que aconteceu. Fui usar o banheiro, lavei as mãos com sabonete de morango e passei desodorante de framboesa, vi a fada do dente com rolinhos no cabelo falando no telefone mágico, e ela disse que ia me estrangular e arrancar todos os meus dentes para fazer dentaduras para os velhinhos. Então, quando ela me agarrou, eu dei um chute e ela me soltou e começou a chamar a mãe dela. Daí, ela voou de volta para a terra das fadas, para ir numa festa de sapatos novos. Com toda certeza, ela não é muito legal! Prefiro bem mais o Papai Noel e o Coelhinho da Páscoa."

Sorte nossa que o meu pai não estava prestando muita atenção na história da Brianna. "Sério, minha princesa? Então o filme *A princesa de pirlimpimpim* que vocês foram ver era sobre isso?"

No semáforo seguinte, reparei que tinha um carro cheio de meninos apontando para nós e rindo. Coloquei o saco plástico de volta na cabeça e me abaixei no banco.

Eu estava tão furiosa que era capaz de CUSPIR!

Todo esse estresse pela mixaria de dez pilas!!

DOMINGO, 29 DE SETEMBRO

Estou começando a ficar superempolgada, porque o concurso de arte de vanguarda começa em oito dias! Decidi inscrever uma pintura em aquarela que me exigiu duas férias inteirinhas para terminar. Gastei mais de 130 horas com ela.

O único problema é que eu dei a tela de presente para os meus pais na última primavera, quando eles fizeram dezesseis anos de casamento. Então, tecnicamente, a pintura não é mais minha. Mas ou eu dava a pintura, ou gastava todos os 109,21 dólares que guardei durante toda a minha vida para pagar um jantar para eles num restaurante chique.

Mas eu sabia que o jantar ia ser um desperdício, porque vi um programa na TV que todos esses restaurantes famosos servem uns troços supernojentos, tipo perna de rã e lesmas, e depois dão a você uma porção minúscula em um prato enorme, com um pouco de xarope de chocolate respingado por cima de tudo e uma guarnição. E "guarnição" é só um nome chique para um simples ramo de salsinha.

Então, para economizar, a Brianna e eu decidimos preparar nós mesmas um jantar romântico à luz de velas para fazer uma surpresa de aniversário para os nossos pais. Fomos até a lagoa do parque com um balde e uma rede e caçamos algumas pernas de sapo e lesmas fresquinhas.

Foi MINHA a brilhante ideia de fazer um buffet livre, já que estávamos arranjando a comida praticamente DE GRAÇA.

CHEF NIKKI E SUA ASSISTENTE PREPARAM UM DELICIOSO JANTAR GOURMET COM PERNAS DE SAPO E LESMAS

214

Preparar um jantar gourmet é certamente muito mais difícil do que eu imaginava. Os sapos ficavam pulando para fora da bacia, e as lesmas não paravam quietas no prato. Infelizmente, nenhum programa de TV ensina como controlar essas criaturas enquanto você tenta cozinhá-las.

E a Brianna não ajudava EM NADA! Ela deveria ser a minha assistente, mas só ficava pegando os sapos e os beijando para ver se algum se transformava em príncipe. Eu a xinguei muito por causa disso, porque ela não fazia A MENOR IDEIA do que os lábios daqueles sapos já tinham beijado!

Não é de admirar que a Brianna tenha batido o pé quando chegou a hora de colocar a comida no forno. Ela disse que eram todos seus amigos e que "amigos NÃO COZINHAM amigos!". Tenho que admitir, ela TINHA razão. Então decidimos levar o jantar de aniversário dos meus pais de volta para a lagoa e soltá-los. Pode-se dizer que eles tiveram muita sorte. "Eles" são os sapos e as lesmas, não os meus pais.

Como o plano do jantar fracassou e eu não queria me separar das minhas economias, colei uma fita vermelha de Natal na minha aquarela e usei como presente. Meus pais devem ter amado, porque pagaram um dinheirão para colocar uma moldura sofisticada. Daí eles penduraram na nossa sala de estar, em cima do sofá.

Mesmo que agora seja uma relíquia de família de valor sentimental inestimável, minha mãe disse que eu podia pegar a pintura emprestada para o concurso de artes, desde que eu cuidasse dela muito bem.

Fiquei tipo: "Mãe, não precisa se preocupar! Não vai acontecer nada! Serei supercuidadosa. PROMETO!"

Se bem que, pensando nisso agora, a Lindsay Lohan deve ter dito a mesma coisa para a mãe dela. Hummm...

SEGUNDA-FEIRA, 30 DE SETEMBRO

Sério, não consigo acreditar que hoje a MacKenzie foi ao colégio de muletas. Ela até colou adesivos de coraçõezinhos nelas, para combinar com sua bolsa Gucci. Só alguém tão superficial como ela tentaria parecer FOFA mancando por aí de muletas. Ela nem estava usando gesso. Só tinha um band-aid do Bob Esponja embaixo do joelho esquerdo. SÉRIO, QUE FINGIDA!!

De acordo com as últimas fofocas, a MacKenzie estava fazendo aula de mergulho com um menino supergato do terceiro ano quando "rompeu os ligamentos da canela" enquanto o salvava do afogamento. Supostamente, ela teria feito respiração boca a boca nele até que a ambulância chegasse. E, como o pobre garoto implorou para que ela o acompanhasse até o hospital, ela foi forçada a cancelar sua festa de aniversário. Então, foi tudo remarcado para 12 de outubro, um sábado, no clube dos pais dela. E eu tipo: "Ah, TÁ".

A MacKenzie é uma tremenda MENTIROSA e FAZ UM DRAMA POR QUALQUER COISINHA! Por que ela não podia simplesmente dizer a verdade e admitir que a festa foi cancelada porque a casa dela estava cheia de insetos e fedia a inseticida?

Enfim, hoje eu mal podia esperar pela hora do almoço. A Chloe e a Zoey estavam ainda mais empolgadas que eu. Nos sentamos na mesma mesa de sempre e devoramos o nosso almoço o mais rápido que conseguimos.

Então eu levantei a manga da Zoey, peguei a minha caneta da sorte e comecei sua tatuagem. Ela ficou rindo e se contorcendo, dizendo que fazia cócegas. Eu disse:

"ESCUTA AQUI, ZOEY, OU VOCÊ FICA QUIETA E SENTA DIREITO, OU EU VOU TRANSFORMAR OS RISCOS EM UNS FILHOTES DE COBRA HORRÍVEIS.!!"

Sorte dela que ela parou de se mexer depois disso.

Praticamente todo mundo no refeitório ficou olhando para a gente, mas eu ignorei e continuei trabalhando. A tatuagem da Zoey ficou superlegal, e ela amou.

Comecei a fazer a tatuagem da Chloe quando uma coisa muito estranha aconteceu.

Jason Feldman se levantou, saiu da mesa das GDPs e sentou na NOSSA para ver de perto. Ele é só O garoto mais popular do colégio e presidente do grêmio estudantil.

Na escala de beleza, de 1 a 10, eu diria que ele é 9,93.

"Você está fazendo uma tatuagem com caneta?! Que legal! Parece de verdade. E eu sei porque o meu irmão acabou de ganhar uma de presente de aniversário de 18 anos."

"É o nosso projeto especial de AOB para a Semana Nacional da Biblioteca", disse a Chloe, jogando charme para cima dele.

"É! E todas as revistas de moda estão dizendo que tatuagem é a última TENDÊNCIA!", acrescentou a Zoey, com uma voz anasalada igual à da Paris Hilton.

As duas estavam agindo de um jeito tão afetado que dava nojo. Quase achei que fosse vomitar meu almoço no colo do Jason.

"Então o que eu preciso fazer para ganhar uma?", ele perguntou superanimado. "Doar um livro ou algo assim? Vocês têm algum tipo de ficha de inscrição?"

O rosto da Zoey e o da Chloe se iluminaram ao mesmo tempo, e eu quase conseguia ver lâmpadas acendendo dentro da cabeça delas.

Eu só suspirei e revirei os olhos. Primeiro foi a história das tatuagens, depois o *Balé dos* zumbis, depois a ideia de fugir de casa e viver em túneis subterrâneos embaixo da Biblioteca Pública de Nova York.

Eu não sabia se aguentava mais um episódio dessa novela.

A Chloe jogou charme para cima do Jason de novo. "Bem, a Nikki é a diretora de arte, eu sou responsável pela arrecadação de livros, e a Zoey cuida dos agendamentos. Zoey, você poderia entregar para o Jason uma ficha de inscrição, por favor?"

"Hã... que ficha de inscrição?", a Zoey perguntou, parecendo superconfusa.

A Chloe piscou para ela e disse bem alto: "Você sabe, a FICHA DE INSCRIÇÃO que está no seu CADERNO, bobinha!"

Finalmente, a Zoey sacou. "Ah, AQUELA ficha de inscrição! Claro!" Ela olhou para o Jason e começou a sorrir toda nervosa.

A Zoey pegou o caderno, arrancou uma folha, escreveu na parte de cima FICHA DE INSCRIÇÃO PARA TATUAGEM e entregou para a Chloe.

A Chloe adicionou as palavras DOAÇÃO DE LIVRO (NOVO OU USADO) OBRIGATÓRIA!! em letras de forma e entregou para o Jason.

Eu fiquei chocada e até um pouco assustada de ver a Chloe e a Zoey mentindo daquele jeito. Sempre achei a honestidade uma coisa superimportante numa amizade.

O Jason assinou a ficha de inscrição e gritou para a mesa dele, do outro lado do refeitório: "Ei, Crenshaw! Chama o Thompson e vem ver isso".

O Ryan Crenshaw era 9,86, e o Matt Thompson 9,98. Os dois chegaram e se sentaram na NOSSA mesa, ao lado do Jason.

Daí os três começaram a rir e a falar comigo, com a Chloe e com a Zoey, como se fôssemos GDPs ou algo parecido.

Foi quando decidi que, embora fosse bom ter amigos honestos, amigas-que-fazem-você-acabar-cercada-de-gatinhos eram ainda melhor.

E, além disso, a Chloe e a Zoey não estavam de fato mentindo. Estavam só trabalhando para tornar mais atraentes algumas verdades criadas por elas.

Embora eu estivesse curtindo muito essa atenção toda, eu tinha um nó na garganta que me deixou preocupada.

POR QUE os três garotos mais populares da panela das GDPs resolveram do nada se sentar na nossa mesa, flertando comigo, com a Chloe e com a Zoey, as três maiores TONTAS de todo o colégio?

E O QUE exatamente eles queriam com a gente?

Então eu tive de me esforçar para entender a questão mais INTRIGANTE e PROBLEMÁTICA de todas...

Será que a minha caneta da sorte ia DERRETER por ficar perto de uns GATINHOS TÃO QUENTES?!

Aqui estão as TRÊS razões pelas quais eu estava um pouco preocupada com a minha caneta...

JASON (O Pop)   RYAN (O Atleta)   MATT (O Bad Boy)

Uns minutinhos depois, outros sete caras tinham vindo até a nossa mesa e estavam preenchendo a ficha de inscrição e se gabando de quão iradas iam ser suas tattoos.

Finalmente terminei a tatuagem da Chloe, e ela disse que tinha ficado perfeita.

Jason levantou a manga e se sentou no lugar da Chloe.

"Ei, caras. Escutem! Na minha tattoo vai estar escrito 'GUITAR HERO'!!"

Todos os garotos começaram a comemorar e a dar soquinhos nas costas dele. Ele estava se achando, como se fosse ganhar um carro importado ou alguma coisa assim.

Daí um monte de garotas se juntou ao redor do monte de garotos para me ver desenhando a tatuagem do Jason.

"É aquela garota nova?"

"Eu acho que o armário dela fica ao lado do da MacKenzie."

"Ela é tipo A melhor artista do colégio."

"Ei, eu quero me inscrever! Depois me passa a ficha..."

"Qual é o nome dela mesmo?"

"Mikki, Rikki, Vicki, alguma coisa assim."

"Sei lá qual é o nome dela, mas ela tem A MANHA."

"Tô com MUUUUITA inveja! Não sei desenhar nem um bonequinho direito!"

"Ela faz francês comigo. O nome dela é Nikki Maxwell!"

"Eu ADORARIA desenhar no braço do Jason Feldman. Ele é tão SEXY!"

"MEU DEUS! Eu faria qualquer coisa para ser a Nikki Maxwell!"

226

Eu estava começando a me sentir uma POP STAR!

As únicas GDPs que não estavam em volta da nossa mesa eram a MacKenzie e seu grupinho. Elas estavam nos ENCARANDO do outro lado do refeitório.

Quando acabou o intervalo do almoço, eu já tinha feito sete tatuagens, a Chloe tinha recolhido nove livros e a Zoey tinha agendado onze pessoas para fazer tatuagens no almoço de amanhã.

Decidimos chamar o nosso projeto AOB de:

"Troca de Tintas: Dê um Livro e Ganhe uma Tatuagem!"

Em pouquíssimo tempo, a escola INTEIRA estava comentando.

A sra. Peach disse que arrecadar livros para caridade era uma ideia maravilhosa e que estava superorgulhosa da gente. O Brandon até me parabenizou e disse que queria me entrevistar para o jornal da escola na sexta-feira, já que eu era um "furo de reportagem". Ele disse que estava pensando em fotografar alguns alunos mostrando as tatuagens para colocar na matéria. Agora eu estou louca para que sexta chegue logo ☺! Pode ser que a gente acabe ficando superamigos.

Mas a coisa mais incrível disso tudo é que a Chloe, a Zoey e eu começamos o dia como AOBs TONTAS e terminamos como GDPs DIVAS!

TEM NOÇÃO DE COMO ISSO É LEGAL?! ☺!!

TERÇA-FEIRA, 1º DE OUTUBRO

	Hoje	Total
TATUAGENS	17	24
LIVROS	34	43

Esse lance das tatuagens virou mania na escola toda! Fiz outras onze no almoço de hoje, e um monte de GDPs se sentou com a gente para ver. Foi ótimo passar um tempo com esse pessoal, eles não são metidos e maldosos como a gente achava. Acho que era só uma questão de conhecê-los melhor.

Para minha surpresa, acabei fazendo mais seis tatuagens enquanto trabalhava como AOB. Parece que todo mundo e mais o vizinho, o cachorro e o papagaio resolveram dar uma passadinha na biblioteca antes da aula só para me encher.

Mas a sra. Peach disse que não tinha problema eu não fazer meu trabalho, já que eu estava trabalhando pelo nosso projeto.

Até agora, nós arrecadamos um total de 43 livros para caridade, o que é excelente. Mas foi principalmente porque a Chloe decidiu começar a cobrar dois livros por tatuagem, em vez de um. A Zoey e eu achamos que um livro já estava mais do que bom e falamos isso para ela.

Mas a Chloe disse que, como ela era a diretora de arrecadação de livros, a decisão era dela e não nossa. Então, o que a gente achava não fazia diferença. Sério, ISSO foi muito GROSSO da parte dela!!

Fiquei tipo: "Ok, Chloe! Supostamente, a gente devia estar fazendo um trabalho em grupo! Mas quem está se MATANDO para você virar RAINHA?!"

CHLOE, A GRANDE - RAINHA DOS LIVROS →

Mas isso tudo eu disse dentro da minha cabeça, então só eu mesma escutei. Enfim, agora estamos ganhando DOIS livros por tatuagem, embora me pareça um pouco GANANCIOSO. ☹!

QUARTA-FEIRA, 2 DE OUTUBRO

	Hoje	Total
TATUAGENS	19	43
LIVROS	57	100

Meu sonho era que todo mundo no colégio soubesse quem eu era. E hoje mais de vinte pessoas me cumprimentaram antes mesmo de a aula começar. Fiquei feliz por ter tantos novos amigos ☺.

Na aula de biologia, tivemos de formar duplas para analisar ácaros no microscópio. Eu tinha certeza de que o Brandon me chamaria para ser dupla dele. Mas três pessoas o interromperam enquanto ele tentava falar comigo.

Disseram alguma coisa do tipo: "Ei, Nikki, vamos fazer o trabalho juntos, daí a gente pode falar sobre como vai ser a minha tatuagem". Mas eu não queria falar sobre tatuagens com gente que eu mal conhecia. Eu queria ter um papo emo superprofundo com o Brandon sobre ácaros.

No fim, acabei fazendo dupla com a Alexis Hamilton, a capitã das cheerleaders. Ela ficou o tempo todo com um blá-blá-blá sobre como elas (as cheerleaders) precisavam que eu inventasse uma tatuagem "ultrabacana" para o grande jogo contra a Central, que, por sinal, era na sexta.

Mas eu já sabia, porque as ouvi falando disso na frente do meu armário hoje de manhã. Algumas delas estavam esperando por mim depois da segunda aula e pareciam superirritadas. Não é que eu, tipo, estivesse com medo delas nem nada. Só pulei para dentro do meu armário porque às vezes fico meio envergonhada.

EU SENDO CAÇADA POR UM BANDO DE CHEERLEADERS FURIOSAS!

Enfim, eu disse para a Alexis que todo mundo que quisesse fazer uma tatuagem tinha de se inscrever com a Zoey antes. Mas ela disse que a Zoey tinha uma lista de espera com 149 pessoas até a próxima quarta, e ela precisava das tattoos logo, já que se tratava de uma emergência. A Alexis disse que já havia doado três livros por tatuagem para a Chloe, que tinha dado autorização para que as cheerleaders furassem a fila.

Então AGORA eram TRÊS livros?!

Eu disse para a Alexis que, como a Zoey era diretora de agendamento e a Chloe era diretora de arrecadação de livros, ela deveria ignorar a Chloe. Então a Alexis decidiu tomar uma atitude e se recusou a falar comigo ou a ajudar a fazer o trabalho sobre ácaros. Isso é que é dupla!

Mas o que me deixou mais chateada foi o fato de que a Zoey tinha agendado 149 pessoas sem nem falar comigo antes. Tenho prova de francês na sexta e de geometria na próxima segunda e, do jeito que as coisas estão, nem sei se vou conseguir ficar acima da média nessas matérias.

233

Como é que eu vou estudar se estou ficando acordada até mais de meia-noite TODOS os dias para desenhar todas essas tatuagens?! E eu nem sequer consegui almoçar nos últimos dois dias!

E depois, quando a aula terminou e eu estava indo para casa, a Samantha Gates me parou para dizer como ela tinha amado sua tatuagem do Justin Timberlake. Ela me disse que todas as colegas de teatro dela queriam uma também. Então me convidou para sair com elas na sexta depois da aula, e eu respondi que ia ver se podia. Mas como é que eu vou ter uma vida social se tenho que desenhar tatuagens 24 horas por dia, sete dias por semana? ☹!

QUINTA-FEIRA, 3 DE OUTUBRO

	Hoje	Total
TATUAGENS	33	76
LIVROS	99	199

Hoje eu tive um dia PÉSSIMO! Parece que a Chloe, a Zoey e todos os outros só pensam em TATUAGEM.

Cheguei mais cedo na escola e fiz nove. Depois fiz catorze durante o almoço e mais dez na biblioteca. Isso dá 33 tatuagens!

Daí eu ouvi por acaso a Zoey dizendo para a Chloe, nas minhas costas, que eu trabalhava mais devagar do que "uma lesma constipada numa tempestade de gelo" e que eu precisava me apressar, porque já havia 216 pessoas na lista de espera para a semana seguinte. Eu NÃO vou MESMO fazer 216 tatuagens em uma semana! E eu disse isso bem na cara da Zoey. De um jeito bem amigável.

Depois, a Chloe queria saber por que eu tinha falado para a Alexis ignorá-la. Ela disse que, como as cheerleaders tinham um jogo importante, achou que podia colocá-las no topo da lista de amanhã. Foi quando a Zoey disse que, como diretora de agendamento, a decisão era só dela, e que ela não se importava com o que a Chloe pensava. Isso era EXATAMENTE a mesma coisa que a Chloe tinha dito para a gente uns dias antes.

Então a sra. Peach pediu POR FAVOR para falarmos mais baixo, porque afinal nós estávamos em uma biblioteca.

Mas eu estava mais bem informada. Aquilo NÃO era uma biblioteca...!

ERA A DROGA DE UM ESTÚDIO DE TATUAGEM! ☹

SEXTA-FEIRA, 4 DE OUTUBRO

TATUAGENS HOJE - UM ZERO BEM REDONDO!

LIVROS HOJE - UM ZERO BEM REDONDO!

SABE POR QUÊ?

Em primeiro lugar, a Chloe e a Zoey estavam bravas porque eu não cheguei mais cedo na escola, e havia dezessete pessoas esperando para fazer tatuagem.

Bem, descuuuulpa! Mas eu tinha prova de francês e precisava estudar.

Depois, na hora do almoço, havia 25 pessoas esperando. Mas, em vez de se sentarem à mesa 9 para me ajudar, a Chloe e a Zoey se sentaram com as GDPs, do outro lado do refeitório.

Vi as duas dando risadinhas e jogando charme para cima do Jason, do Ryan e do Matt, enquanto eu supostamente me matava de tanto trabalhar, como se fosse a CINDERELA!

Mas eu quase SURTEI quando vi a MacKenzie entregando CONVITES da sua festa, que tinha sido remarcada para o dia 12, para a Chloe e a Zoey!

Eram envelopes rosa com laços brancos, iguaizinhos àquele que ela havia ME dado.

E depois tomado de volta, quando me DESCONVIDOU!

A Chloe e a Zoey estavam superfelizes e puxando o saco da MacKenzie, mesmo sabendo que eu a ODIAVA.

ENTÃO fiz a coisa mais madura e racional que podia fazer nessas circunstâncias...

EU ME DEMITI ☹!

Se tiver de desenhar mais uma tatuagem, eu vou

VOMITAR!

Pensei que a Chloe e a Zoey eram minhas amigas de verdade.

Mas agora estou vendo que o tempo todo elas só estavam me USANDO para ganhar a viagem para a Semana Nacional da Biblioteca em Nova York.

COMO É QUE ELAS PUDERAM FAZER ISSO COMIGO?!

Mais tarde, o Brandon foi até o meu armário todo sorridente e disse que queria me entrevistar para o jornal depois da aula. Mas eu disse para ele esquecer isso, porque a minha carreira de tatuadora estava ENCERRADA! Ele me perguntou se estava tudo bem e eu respondi: "Sim, está tudo bem! Só preciso encontrar novas amigas". Ele piscou e pareceu confuso. Então deu de ombros e foi embora.

Então agora é como se a CHLOE, a ZOEY e o BRANDON estivessem todos VIAJANDO.

Espero que se divirtam na festinha da MacKenzie, já que todos foram convidados e EU NÃO!!

Mas eu não estava com inveja deles nem nada. Porque, né, isso seria superimaturo.

SÁBADO, 5 DE OUTUBRO

Tive o pior pesadelo da minha vida! Parecia coisa de outro mundo.

A MacKenzie cuspia insetos em mim, e o sinal do colégio tocava sem parar.

ERA COMO SE TODO MUNDO ESTIVESSE TENTANDO ME PEGAR!!

Graças a Deus eu acordei. Foi quando me dei conta de que já era de manhã, e era o telefone que estava tocando, não o sinal do colégio. Eu me arrastei para fora da cama e atendi o telefone da escrivaninha. Era a minha avó, dizendo que planejava vir passar duas semanas conosco no fim do mês. Respondi que meus pais já deviam ter saído de casa, por isso não tinham atendido o telefone.

Daí ela perguntou como estavam as coisas, e eu respondi que não estavam muito bem. Contei que estava pensando em mudar de colégio e perguntei o que ela faria no meu lugar. Ela disse que o mais importante NÃO era em que colégio eu estava, e sim se a minha decisão era ser uma campeã ou uma franguinha.

O que, é claro, não tinha ABSOLUTAMENTE NADA a ver com NADA! Como a minha avó estava de novo falando coisas que não faziam sentido, eu disse que a amava, mas que precisava desligar porque tinha alguém batendo na porta. Então desliguei o telefone.

Nem era mentira porque, infelizmente, a Brianna e a Bicuda estavam na porta do meu quarto. A Bicuda queria que eu a assistisse cantando músicas do *High School Musical 3* no maior estilo Amy Winehouse.

Não fazia nem três minutos que eu estava acordada e já havia sido obrigada a suportar a minha avó caduca, a minha irmã hiperativa e um fantoche idiota. Voltei para a cama, enfiei a cabeça embaixo das cobertas e GRITEI por dois minutos inteirinhos.

Tantos DOIDOS por aí e tão poucos CIRCOS!!

SEGUNDA-FEIRA, 7 DE OUTUBRO

POR FAVOR, POR FAVOR, POR FAVOR, NÃO me diga que isso está acontecendo comigo. Hoje foi o PIOR dia de TODA a minha vida.

Tudo começou domingo à noite, quando eu estava na minha escrivaninha fazendo exercícios de revisão para a prova de geometria.

Minha mãe entrou no quarto por volta de meia-noite para dizer que, no dia seguinte, ela ia sair muito cedo de casa, porque ia acompanhar um passeio da escolinha da Brianna.

"Nikki, como você tem prova e o concurso de artes amanhã, é MUITO importante que você programe seu despertador para não se atrasar."

E eu tipo: "Obrigada, mãe. Boa noite!"

De fato, eu tinha planos de programar o meu despertador assim que terminasse os exercícios de geometria.

243

Mas a próxima coisa que eu lembro é que já era de manhã e eu AINDA estava na escrivaninha, com o livro de geometria aberto na minha frente.

Quase enfartei, porque o meu relógio dizia que eram 7h36 da manhã de SEGUNDA, e a minha primeira aula começava às oito horas!

A única explicação lógica é que eu devo ter caído no sono enquanto estudava.

Meu dia já começou mal!

Tinha acordado tarde, não tinha carona para o colégio, minha pintura tinha de ser inscrita no concurso de artes e a prova de geometria começava em 24, não, 23 minutos.

Até o clima combinava com o meu péssimo humor. Estava escuro, nublado e chovia.

Eu estava me segurando para não chorar quando, de repente, ouvi o portão da nossa garagem abrir. Corri para a janela do meu quarto e vi o brilho dos faróis.

ERA O MEU PAI ☺! E ele estava saindo de casa.

Corri pelo meu quarto em pânico, tentando me vestir antes que ele saísse. Pulei dentro das minhas calças e joguei os braços dentro da jaqueta. Como não encontrei um dos pés do sapato, decidi que colocaria os tênis de educação física assim que chegasse ao colégio.

Peguei a mochila e a pintura e voei escada abaixo feito uma louca. Quando cheguei na porta da frente, meu pai já estava na rua.

Corri atrás dele sacudindo os braços e gritando histericamente.

"Espera, pai! Espera! Eu tô atrasada! Preciso de uma carona até o colégio!"

Só que eu não conseguia correr muito rápido, porque estava carregando a mochila e a pintura. E, é claro, minhas pantufas de coelhinho também não ajudavam muito.

Infelizmente, meu pai NÃO me viu! ☹

Então fiquei parada na chuva, ali no meio da rua, me sentindo muito, muito mal. Não dava para acreditar que eu perderia o concurso de artes, tiraria zero na prova de geometria e ganharia uma falta injustificada, tudo no mesmo dia. Senti um aperto enorme na garganta e fiquei com vontade de chorar de novo.

Mas meu pai deve ter finalmente notado que eu estava lá, pelo retrovisor ou algo assim, porque de repente ele pisou no freio. PRRRRRRRRRRRRR! Saí correndo no meio da rua até a Kombi o mais rápido que pude.

Quando entrei, meu pai perguntou: "A Bela Adormecida precisa de uma carona até o colégio, ou está só esperando pelo príncipe encantado?!"

Ignorei a piadinha idiota e afundei no banco do carona. Eu estava encharcada da cabeça aos pés, mas me sentia feliz e aliviada. Nem tudo estava perdido! Pelo menos ainda.

Mas também me senti superansiosa. Pela primeira vez no ano, eu ia para o colégio no baratomóvel!!

E se alguém me visse saindo dele eu MORRERIA!

Quando estacionamos em frente ao colégio, já tinha parado de chover. Graças a Deus, o único outro veículo que havia por ali era um caminhão enorme com uns homens uniformizados carregando uns painéis gigantes. Me dei conta de que deviam ser para a exposição de artes.

Agradeci meu pai pela carona, peguei minha pintura e saí da Kombi. Quando eu ia fechar a porta, ele fez um sinal e apontou para a minha mochila no chão.

"Ei, acho que você está esquecendo alguma coisa!"

Coloquei a pintura no chão com cuidado e a apoiei na lateral da Kombi.

Então voltei para dentro e peguei a mochila.

"Acho que agora foi tudo! Obrigada, pai!"

Acenei e fechei a porta.

Eu NÃO conseguia acreditar que tinha chegado ao colégio em menos de seis minutos. E ninguém tinha me visto descer do baratomóvel, o que foi um milagre.

Então notei uma garota usando capa de chuva, chapéu e botas da Chanel, tudo combinando, descendo do caminhão estacionado na nossa frente.

"Ei, colega, mais cuidado com isso! É uma obra de arte, não um pedaço de madeira!", ela reclamou com um dos homens.

Fiquei paralisada. Pensei em entrar de volta na Kombi e ficar lá até que ela fosse embora. Mas era tarde demais!

A boca da MacKenzie se abriu.

Primeiro, ela fez uma cara de espanto quando olhou para mim, para a Kombi e para o Max (sim, a barata). Então ela abriu um sorriso supermalicioso.

"Espera um pouco! VOCÊ é dos mesmos Maxwell que têm a Maxwell Exterminadora de Insetos?! E o que é essa coisa marrom horrorosa em cima da Kombi, um cavalo morto?! Deixe-me adivinhar: é para combinar com esses coelhinhos mortos que você tem nos pés?"

Só olhei para ela sem dizer nada.

Ok, a MacKenzie seria a incontestável vencedora se estivéssemos competindo para ver quem era a mais rica e esnobe, desenhava as roupas mais bonitas, tinha mais amigos, um quarto mais legal ou uma casa maior.

Mas nós NÃO ESTÁVAMOS.

Arte de vanguarda tem tudo a ver com TALENTO, e isso a MacKenzie NÃO podia comprar com o dinheiro dos pais dela.

Eram os seus desenhos de roupa da Super-10-Colada contra a minha aquarela...

Foi aí que finalmente eu me lembrei da minha pintura. Me virei e corri para pegar a tela, enquanto meu pai começava a sair com a Kombi.

Mas era tarde demais! Vi aterrorizada a Kombi esmagar lentamente a camada de vidro, a moldura de madeira, os meus sonhos e a minha esperança. Foi incrivelmente doloroso ver algo que expressava tão puramente os meus sentimentos, e que me exigiu mais de 130 horas de trabalho, ser brutalmente destruído em segundos.

Mas as lágrimas e os destroços ao lado do meio-fio não estavam nem perto de ser tão feios quanto o insulto final da MacKenzie.

"Ah não! Esta era a sua obra de arte?! Que pena! Ei, que tal você grudar alguns insetos nela e inscrevê-la no concurso como obra de arte moderna, chamada *Insetos Maxwell no lixo?*"

Então ela gargalhou como uma bruxa e saiu rebolando. Eu ODEIO quando a MacKenzie rebola!

Vi com tristeza o baratomóvel dobrar a esquina e desaparecer pela rua.

Pela primeira vez na vida, eu quis estar lá dentro, quente e sequinha e indo para longe. Longe da MacKenzie. Longe das minhas amigas que na verdade NÃO eram minhas amigas. Longe do Westchester Country Day.

Eu não me encaixava em lugar nenhum e estava cansada de tentar. Sentei no meio-fio, ao lado dos restos da minha pintura, e chorei. Voltou a chover, mas eu não me importei.

Já fazia tipo uns mil anos que eu estava lá sentada, tentando organizar as coisas na minha cabeça, quando notei que havia parado de chover. Pelo menos em MIM.

Então reconheci um leve cheiro de amaciante, desodorante e chiclete de morango.

Olhei para cima e fiquei surpresa, e um pouco constrangida, ao ver o Brandon ali, segurando um guarda-chuva em cima de mim.

"Você... está bem?"

Eu não respondi.

Então ele estendeu a mão. Fiquei olhando para ela e suspirei. Se ficasse sentada na chuva por muito tempo, provavelmente acabaria morrendo de pneumonia. O que, POR SINAL, não parecia uma coisa assim tão ruim.

Segurei a mão dele, e ele lentamente me ergueu do meio-fio.

NÃO dava para acreditar que a gente estava repetindo essa cena ridícula. Que patético!

Revirei os olhos, dei uma fungada e limpei o nariz na parte de trás da minha mão. Eu NÃO ia deixar que ele me visse chorando.

Ficamos ali parados, sem dizer nada. Ele estava olhando para mim, e eu estava olhando para o chão.

De repente, o Brandon enfiou a mão no bolso e tirou de lá um lenço amassado.

"É... Eu acho que você está... com um negócio na cara."

"Deve ser um TATU!", respondi com sarcasmo e peguei o lenço da mão dele.

"É. Deve ser", ele disse, se esforçando para não rir. "Tipo... curti estes sapatos!"

"NÃO são sapatos. São pantufas de coelhinho! Eu estava com muita pressa hoje de manhã, tá?"

Assoei o nariz bem alto e com raiva. FOOOOOON!

"Então... é... parece que você teve um pequeno acidente com a sua obra de arte."

"Eu não chamaria de 'pequeno'."

"Bem, se isso faz você se sentir melhor, a MacKenzie está inscrevendo umas bonecas gigantes de papel. Eu diria que a sua pintura AINDA é melhor que o trabalho dela. Mesmo dividida em 27 pedaços. Com lama e algumas minhocas em cima."

Um sorriso malvado lentamente percorreu o rosto do Brandon.

"Fala sério. Todo mundo sabe que você tem mais talento na unha do pé do que..."

"Tá! Eu sei. EU SEI...!", falei, interrompendo-o e ficando muito vermelha. Eu ODIAVA quando ele fazia isso comigo!

Tá bom. Mesmo furiosa com o mundo, tenho que admitir, a coisa toda até que era um pouco divertida. De um jeito meio torto.

Finalmente, sorri para o Brandon e ele piscou para mim. Ele era muito TONTO! Mas no bom sentido. Ele tinha um senso de humor meio estranho, era simpático e um pouco envergonhado, TUDO ao mesmo tempo. E, diferente de mim, não era obcecado pelo que as pessoas pensavam dele. Acho que ISSO provavelmente era a coisa mais legal nele.

"Obrigada pelo guarda-chuva!"

"Sem problemas!"

Então caminhamos até a entrada do colégio.

Ainda que lá dentro estivesse quentinho, eu estava toda arrepiada.

Minhas pantufas estavam encharcadas, e parecia que eu estava com duas esponjas congeladas nos pés.

"Preciso pegar meus tênis no armário e depois ir até a secretaria ligar para o meu pai. Tomara que ele possa me trazer umas roupas sequinhas."

"Então... eu vou com você até a secretaria, se você não se importar. Minha aula é naquela direção."

Enquanto eu e o Brandon passávamos pelo corredor, algumas pessoas paravam o que estavam fazendo para nos olhar, e outras nos apontavam e riam. Mas eu simplesmente as ignorei.

Eu sabia que parecia uma doida. A cada passo que eu dava, minhas pantufas faziam squish—squash, squish— —squash, squish—squash e deixavam poçinhas de água no chão.

Quando finalmente cheguei ao meu armário, havia um monte de gente amontoada ao redor dele. No começo achei que estavam lá por causa das tatuagens, mas, quando cheguei mais perto, eles se dividiram e foram cada um para um lado.

Daí eu vi o que eles estavam olhando.

Senti como se alguém tivesse dado um soco tão forte no meu estômago que eu mal podia respirar. Tapei a boca e tentei segurar as lágrimas, acho que pela décima vez nesta manhã.

Alguém havia escrito no meu armário com alguma coisa que parecia gloss de canela selvagem vermelho-carmim turbinado.

Que, POR SINAL, é o preferido da MacKenzie.

"Eu... eu sinto muito!", o Brandon gaguejou. "Só uma completa idiota faria uma coisa tão má e imbecil como..."

Mas eu não ouvi o resto do que ele falou.

Apenas me virei, fiz o caminho de volta pelo corredor cheio de gente e fui direto para a secretaria ligar para os meus pais.

Não dava mais para aguentar!

Eu ia embora do Westchester Country Day.

E não ia voltar NUNCA mais!

TERÇA-FEIRA, 8 DE OUTUBRO

Hoje eu não fui para o colégio porque estava gripada e passei o dia inteiro na cama tomando chá de limão.

O programa da Tyra Banks estava superlegal, como sempre, mas por algum motivo não me animou muito.

Depois que o meu pai me pegou na escola ontem, comecei a pensar que talvez eu estivesse exagerando.

Foi bem traumático ver a minha pintura sendo destroçada em bilhões de pedaços, mas quem estava realmente estragando a minha vida era a MacKenzie.

Talvez a Westchester não fosse um lugar tão ruim assim. Talvez, se eu tentasse falar com a Chloe e a Zoey, pudéssemos voltar a ser amigas. Talvez o Brandon não me achasse tão babaca.

Então, segunda à tarde, liguei para a biblioteca para falar com a Chloe e a Zoey.

Além disso, eu estava um pouquinho curiosa para saber como a MacKenzie tinha se saído no concurso de artes. Tá bom, admito, eu estava MORRENDO de curiosidade! Minhas mãos estavam até tremendo quando disquei o número no telefone.

"Biblioteca, Zoey falando."

"Oi, Zoey, sou eu, a Nikki. Tô ligando só pra saber como vocês estão. Você NÃO vai acreditar no que aconteceu comigo hoje de manhã."

Então ouvi a voz abafada da Chloe no fundo da ligação.

"Ai, meu Deus! É ela?! Diz que você não pode falar agora porque nós estamos superocupadas. Não podemos perder tempo."

"É... e aí, Nikki? O Brandon nos contou tudo que aconteceu. Na verdade, ele está aqui agora. Sinto muito pela sua obra de arte...", a Zoey gaguejou nervosa.

"Sim, claro. Então, o que vocês três estão ..."

"Olha só, Nikki, eu tenho que desligar. A gente está superocupada com, hum... um trabalho. A Chloe e o Brandon estão mandando um oi."

"Espera, Zoey! Eu só queria..."

"Desculpa, preciso ir. A gente se vê amanhã. Tchau."

CLICK!

Depois dessa conversa, eu não tinha mais dúvidas de que a Chloe, a Zoey e o Brandon me odiavam. Então, não havia mais nada a fazer a não ser começar os planos para mudar de escola.

E CHORAR bastante também.

O que eu já vinha fazendo ao longo das últimas 24 horas.

A única coisa boa disso tudo é que meus pais têm se preocupado tanto com o meu estado emocional que finalmente me deixaram mudar para a escola pública mais próxima.

Agradeci meu pai por conseguir a bolsa de estudos e tal, mas infelizmente não tinha dado certo.

Surpreendentemente, a minha mãe e o meu pai aceitaram numa boa o fato de o presente de aniversário deles ter sido destruído.

Eu até prometi pintar um novo, apesar de a Brianna insistir que ela queria fazer um dessa vez.

"Não se preocupem, mamãe e papai! Eu tô fazendo um presente de aniversário novinho pra vocês, já tá quase pronto! E é bem melhor do que aquela pintura velha da Nikki!"

Mas eu tive um mau pressentimento a respeito da obra de arte da Brianna.

Quando perguntei se ela tinha usado tinta guache ou giz de cera, ela disse: "Não! Eu usei tinta preta permanente.

E desenhei em cima do sofá, exatamente no mesmo lugar onde sua pintura tava pendurada!"

A Brianna disse que o desenho dela se chamava...

A FAMÍLIA MAXWELL VISITA A PRINCESA DE PIRLIMPIMPIM NA ILHA DOS BEBÊS UNICÓRNIOS

Quando minha mãe viu o mural da Brianna, quase desmaiou. E daí minha irmã tentou se livrar botando a culpa na Bicuda.

Foi muito bom rir de novo depois de ter ficado tão deprimida.

QUARTA-FEIRA, 9 DE OUTUBRO

Meus pais e eu fomos até a Westchester 45 minutos mais cedo para resolver tudo antes que os alunos começassem a chegar.

Como eles ficaram na secretaria falando com a funcionária e preenchendo os papéis para a transferência, não consegui deixar de olhar os painéis coloridos do concurso de artes que estavam no hall de entrada.

Não importava quanto eu tentasse me convencer de que não estava nem aí, TINHA que saber se a MacKenzie havia vencido. Eu estava, tipo, obcecada com isso.

Se me apressasse, eu poderia dar uma olhada na exposição durante alguns minutos e ainda teria tempo para esvaziar o meu armário, voltar para a secretaria e sair do prédio antes que alguém me visse.

"Bom, é melhor eu ir logo", murmurei aos meus pais. Peguei a caixa de papelão vazia que havia trazido para levar tudo que estivesse no meu armário e atravessei o corredor.

265

A exposição estava montada em um espaço enorme ao lado do refeitório e era dividida por série. Passei rápido pela sexta e sétima séries e cheguei à seção da oitava. Tinha uns 25 trabalhos. Logo encontrei o da MacKenzie.

Como tudo que ela fazia, era exagerado, grande e brilhava. Ela havia pintado sete manequins em tamanho real, vestidos com roupas da sua Super-10-Colada, em painéis com dois metros de altura.

Tenho que admitir, ela era uma estilista muito boa.

Mas o estranho é que eu não vi a faixa de primeiro lugar.

Embora, conhecendo a MacKenzie, ela provavelmente tivesse levado para casa para que os pais banhassem a faixa em bronze. Assim combinaria com os sapatos dela.

Mas talvez NÃO fosse o caso.

Fiquei surpresa ao ver que a faixa azul estava pendurada na última obra.

Não pude deixar de sentir pena do artista que ia ter que lidar com o drama da derrota pública e humilhante da MacKenzie.

A obra vencedora era uma série de dezesseis fotografias em preto e branco, que mostravam algumas tatuagens.

Quando li o nome da artista, eu quase

SURTEI!

Reconheci na hora as tatuagens que eu tinha feito no ombro da Zoey, no braço da Chloe, no pescoço do Tyler, no tornozelo da Sophia, no pulso do Matt e assim por diante.

Então devia ser *este* o "trabalho" que a Chloe, a Zoey e o Brandon estavam fazendo quando disseram que não podiam falar comigo pelo telefone segunda à tarde.

Aos poucos, a situação começou a ficar clara na minha cabeça.

Fiquei tipo: "MEU DEUS! EU GANHEI o primeiro lugar no concurso! PRIMEIRO LUGAR e quinhentos dólares!"

Graças à Chloe, à Zoey e ao Brandon! Eles devem ter bolado esse superesquema depois que a minha pintura foi destruída. E este painel incrível com o MEU nome deve ter levado horas para ser feito.

Eu estava TÃO enganada quanto a eles. Eles eram os MELHORES amigos DO MUNDO! E mais de uma dúzia de outros alunos tinham aceitado ser fotografados. Tudo isso me deixou NAS NUVENS!

Talvez a Westchester não fosse um lugar tão ruim assim, no fim das contas. Eu tinha amigos de verdade aqui. E é claro que ajudava o fato de agora eu ser rica, rica, rica, mais do que eu poderia sonhar.

Voltei correndo para a secretaria e passei direto pela porta.

"Mãe, pai! Mudei de ideia. Quero ficar aqui!"

Os dois pareceram surpresos.

"Querida, você está bem?", minha mãe perguntou preocupada.

"Na verdade, mãe, estou ÓTIMA! Mudei de ideia. Quero ficar aqui, POR FAVOR!"

"Bom, você que sabe. Tem certeza?", meu pai disse, largando a caneta na mesa.

"Tenho sim. Tenho certeza ABSOLUTA."

A secretária pegou os papéis que estavam com o meu pai, rasgou-os ao meio e jogou os restos no cesto de lixo.

"Que ótima notícia!", ela disse. "E parabéns pelo primeiro lugar no concurso de artes! Você vai à confraternização no próximo sábado, não vai? Eles vão entregar os prêmios em dinheiro e a comida vai ser maravilhosa."

Meus pais pareciam superconfusos. "Pensei que você tinha dito que não...", minha mãe começou a dizer, mas eu logo a interrompi.

"Olha só, mais tarde eu explico isso. Tipo, vocês dois não têm nenhum compromisso?", sorri e dei um tchauzinho para eles, na esperança de que entendessem a mensagem e fossem embora.

Minha mãe me beijou na testa. "Tá bom, querida! Ficamos felizes em saber que você decidiu ficar."

"Sim, e tudo graças à Maxwell Exterminadora de Insetos!", meu pai disse e deu uma piscadinha. "Sabia que você se daria bem aqui se desse uma chance."

"Bom, eu preciso ir! Ah. Olha só, pai." Entreguei a caixa de papelão para ele. "Você pode se livrar disso aqui pra mim?"

Então me virei e saí correndo da secretaria.

Os corredores se enchiam de alunos e alguns até me cumprimentaram. Enquanto eu voltava até o meu armário, não tinha muita certeza do que esperar, mas estava pronta e ansiosa para lidar com o que aparecesse.

A pixação havia sido removida, graças a Deus. Mas tinha alguma coisa nova no meu armário.

Bati na porta do depósito do zelador e então espiei ali dentro.

Nikki,

Por favor, nos encontre no depósito do zelador urgente! É muito, muito importante!

Chloe e Zoey

A Chloe e a Zoey estavam em um canto sentadas no chão, parecendo supertristes. Fiquei com um pouco de pena delas.

"Nós devemos desculpas a você pela maneira como agimos", a Chloe disse. "A gente se deixou levar por todo esse lance de tatuagens e livros. E isso não foi justo com você."

"É! E nós também aprendemos quem são nossos amigos de verdade. As GDPs só queriam andar com a gente por causa das tatuagens. Bando de falsas!", completou a Zoey.

"Na verdade, eu meio que percebi isso também. Aquele bando de cheerleaders era de dar medo!", eu disse, tremendo só de lembrar.

"Escuta, por favor, não fique zangada, Nikki!", a Chloe disse, com os olhos cheios de lágrimas. "Mas nós temos que confessar outra coisa..."

A Zoey limpou a garganta.

"Bom, depois que ficamos sabendo do acidente com a sua pintura, fomos atrás dos alunos com as melhores tatuagens, e o Brandon tirou fotografias delas durante o almoço. Daí ele imprimiu as fotos no escritório do jornal do colégio. A sra. Peach nos deixou trabalhar no seu projeto a tarde toda na biblioteca. Nós o chamamos de *O corpo do estudante*."

"E você não vai acreditar no que aconteceu", a Chloe choramingou, secando as lágrimas.

"Eu ganhei!"

"VOCÊ VENCEU!!", elas disseram juntas.

"Espera! Você SABIA?!", a Zoey perguntou, surpresa.

"Sim. Descobri alguns minutinhos atrás."

"Nós sabemos que não devíamos ter feito isso sem perguntar a você antes. Mas não havia tempo. Você não está chateada com a gente, está?", a Chloe perguntou e fez umas caretas para tentar amenizar o clima.

"Na verdade, estou. Estou MUITO BRAVA!", eu disse. A Chloe e a Zoey colocaram as mãos na cabeça e olharam para o chão.

"Sentimos muito. Só estávamos tentando ajudar...", a Zoey murmurou.

"Eu achava que vocês eram minhas amigas. Como é que fizeram isso comigo? Estou MUITO BRAVA! Eu daria QUALQUER coisa para ter visto a cara da MacKenzie quando ela PERDEU!" Eu estava me esforçando muito para não rir e não conseguia mais me aguentar.

Primeiro, as duas piscaram e pareceram perplexas. Daí, aos poucos foram surgindo pequenos sorrisos no rosto delas, até que eles se abriram de ponta a ponta.

"MEU DEUS! Nikki, você tinha que ter visto a cara dela", a Chloe disse, empolgada. "Quando anunciaram que você era a vencedora, ela ficou passada!"

"Foi muito engraçado! A MacKenzie teve um chilique bem na frente dos juízes!", a Zoey comentou.

Em pouco tempo estávamos rindo e contando piadas no depósito do zelador, como nos velhos tempos.

"Ops. Acho que ouvi o sinal da primeira aula", resmunguei.

"Vamos sair daqui antes que a gente comece a cheirar a mofo!"

A Chloe e a Zoey abriram a porta e ficaram esperando que eu saísse antes.

"O talento antes... da inteligência!", a Zoey piscou e depois fez uma careta.

"O talento antes... da beleza!", a Chloe riu e depois me fez cócegas.

"Ei, amigas, eu vejo o talento! Mas, a não ser por mim, não tem nada de inteligência ou de beleza por aqui!", provoquei.

Foi quando a Chloe e a Zoey deram soquinhos no meu braço. "AI!!", eu ri. "Isso dói!!"

QUINTA-FEIRA, 10 DE OUTUBRO

Deve ter acontecido alguma megaliquidação ontem no shopping ou algo assim, porque quatro meninas estavam usando exatamente a mesma roupa.

Eu não tinha reparado nisso, até que ouvi a MacKenzie ridicularizando uma delas no corredor.

"NOSSA! Olhem isso! TODAS estão vestindo exatamente o mesmo conjuntinho! Já sei, não precisa nem me dizer. Davam um pra todo mundo que comprasse um McLanche Feliz!"

Eram 7h45, e eu já estava imaginando como ela ficaria com fita isolante colada na boca.

Quando a MacKenzie finalmente se deu conta de que eu estava ali, tentou se fazer de inocente.

"Caso você esteja desconfiada, NÃO fui eu quem escreveu 'Garota Inseto' no seu armário. Muita gente usa gloss na cor canela selvagem vermelho–carmim turbinado, sabia?"

Só revirei os olhos. Essa menina é TÃO mentirosa. Não acreditei nem por um segundo no que ela disse.

A MacKenzie jogou os cabelos para trás e olhou para sua imagem perfeita no espelho.

"Além disso, mesmo se tivesse sido eu, você não teria como provar!"

Então, ela aplicou sua camada matinal de gloss.

Como eu ia passar o ano inteiro com o armário ao lado do da MacKenzie, decidi utilizar a estratégia "mente-sobre-matéria" de pensamento positivo inventada pela Zoey para lidar com a questão.

Na minha MENTE, eu estava cansada de saber o que a MacKenzie pensava SOBRE os outros, porque isso não era MATÉRIA relevante!

Apesar de que, devo admitir, os brincos de argola que ela estava usando eram lindos demais.

Por que esses brincos enormes parecem tão GLAMOUROSOS nas GDPs? Mas, quando garotas normais (como eu) os usam, acabamos precisando de uma cirurgia plástica nas orelhas?

GAROTA POPULAR USANDO BRINCOS ENORMES

GAROTA NADA POPULAR USANDO BRINCOS ENORMES

A Zoey, a Chloe e eu sentamos juntas à mesa 9 durante o almoço e várias pessoas vieram nos perguntar sobre as tatuagens. Como o nosso programa Troca de Tinta era um grande sucesso e tínhamos arrecadado quase duzentos livros para doar para caridade, decidimos continuar com ele apenas três vezes por mês, começando em novembro. Ia ser ótimo NÃO ter que me esconder dentro do armário entre uma aula e outra com medo de bandos de cheerleaders furi... – quer dizer, por causa da minha timidez.

Mas o mais estranho de tudo é que eu estava começando a ficar ansiosa para participar da Semana Nacional da Biblioteca na Biblioteca Pública de Nova York. E tínhamos boas chances de ser selecionadas. Tipo, imagine só! Eu, a Chloe e a Zoey em Manhattan por cinco dias, sem os nossos pais! Isso seria INCRÍVEL!

A gente ia andar na moda e ter muitos amigos, animação e azaração, como naquela matéria da *Que Demais!*. E talvez até arranjássemos um jeito de ir ao

PROGRAMA DA TYRA BANKS!

Eu AMO essa MULHER!!

Eu também planejava aproveitar ao máximo a confraternização com todos aqueles escritores famosos. Eu não tinha ideia de que um livro autografado valia tanto.

Pretendo juntar uma meia dúzia e depois vendê-los na Internet por uma boa grana. Então, TCHA-NAN!! Eu poderia comprar aquele sonhado iPhone! Eu NÃO SOU brilhante?! ☺!

Aliás, decidi guardar os quinhentos dólares do prêmio para fazer um curso de desenho. Vai ser a quinta vez que terei aulas naquele ateliê, e a minha professora disse que eu já tenho um portfólio bom o suficiente para entrar na faculdade. O que é fantástico, já que ainda não estou nem no ensino médio! Ela disse que, se eu continuar me esforçando bastante, pode ser que consiga bolsas de estudo para as melhores faculdades do país. DEMAIS!

O Brandon parou ao lado da nossa mesa para perguntar se poderia me entrevistar sobre o prêmio no concurso de arte de vanguarda, já que isso era um "furo de reportagem".

Agradeci por ele ter tirado as fotografias das minhas tatuagens e disse que tinha sido um excelente trabalho. Mas ele disse que não era nada e que planejava usar as fotos na reportagem que estava escrevendo.

Daí a MacKenzie chegou toda simpática para me dar os parabéns. Fiquei tão passada que quase vomitei meu almoço nos sapatos novos dela!

Mas acho que ela só queria flertar com o Brandon, porque ficou jogando charme para cima dele e dando piscadinhas, como se tivesse entrado um cisco no olho dela.

Como é que ela tem a cara de pau de fazer isso?! Ela só pode ter QI negativo.

Apesar de termos combinado de não fazer nenhuma tatuagem até o próximo mês, a Chloe e a Zoey insistiram para que eu fizesse só mais UMA...

EM MIM MESMA.

Minha tatuagem ficou IRADA!

Tá bom. Eu admito que me enganei quando achei que minha avó estava gagá. Mas estava certa quanto àquele fantoche DEMENTE, a Bicuda.

Depois do almoço, o Brandon foi comigo até a aula de biologia. Ele tirou os cabelos do rosto com os dedos (de novo) e sorriu todo envergonhado.

"Então... é... tava pensando se... é... você quer ser minha dupla no trabalho sobre a estrutura da mitocôndria?"

NÃO dava para acreditar que ele estava me perguntando isso. Então eu olhei no fundo dos olhos dele, toda séria, e disse:

^^^^^^^^^^^^^^^^^^^^^^^^^^^^^^^
"ÉÉÉÉÉÉÉÉÉÉÉÉÉÉÉÉÉÉÉÉÉÉÉÉÉÉÉ!!"

Com certeza ele achou que eu era LOUCA.

Mas e daí?! Eu sou assim, não sou?

EU SOU MUITO TONTA!
☺!!!